Enquête au collège

L'intégrale 2

Enquête au collège

Pour Aurélien et Camille,
en souvenir de ce temps-là.

JEAN-PHILIPPE ARROU-VIGNOD

Enquête au collège

L'intégrale 2

Illustré par Serge Bloch

GALLIMARD JEUNESSE

Sur la piste
de la salamandre

① La fin des classes

C'était la veille des vacances d'été, mes derniers jours en 4ᵉ 2 et j'avais le cafard.

Je déteste les fins d'année scolaire. C'est drôle parce que j'avais attendu ces vacances avec impatience. Maintenant qu'elles étaient là, j'aurais tout donné pour revenir en arrière, repartir de zéro.

– Mathilde, disent souvent mes parents, tu ne sais pas ce que tu veux.

Est-ce qu'ils ont raison ? Les grandes vacances, c'est un peu comme ces cadeaux de Noël dont on a longtemps rêvé : on passe devant chaque matin, on brûle de les avoir, et puis lorsqu'ils sont là, au pied du sapin, on ne sait plus qu'en faire, ils finissent au fond d'un placard ou dans le coffre à jouets…

Déjà, le collège Chateaubriand, notre vieux bahut, était à moitié vide. Des poignées d'élèves désœuvrés rôdaient dans la cour trop grande. On avait rendu nos livres de classe, et les sacs pendaient tristement dans le dos comme des gourdes plates. Sinistre... Pour un peu, j'aurais regretté l'époque bénie des interros écrites.

Là-bas, sous le grand marronnier, j'ai aperçu Rémi au milieu d'un petit groupe d'internes. Il est venu vers moi, jonglant négligemment avec un ballon de foot.

— 'lut, Mathilde, il a dit, faisant passer son chewing-gum d'une joue à l'autre. Pas vu P.P. par hasard?

Rémi Pharamon est pensionnaire au collège. Il a beau jouer les durs avec ses baskets délacées et ses jeans pleins de trous, sa manière de renifler en se frottant le nez avec sa manche donne toujours envie de lui tendre un mouchoir, de le protéger. Au conseil de classe de fin d'année – je suis déléguée des élèves –, j'avais dû me battre pour qu'il passe en troisième.

— Un miracle, Rémi, avait commenté P.P. avec sa gentillesse habituelle. Une première dans l'histoire de l'humanité : à ma connaissance, tu dois être le seul homme de Cro-Magnon autorisé à présenter le brevet.

P.P., lui, est un génie. Du moins en est-il persuadé. Depuis l'âge de deux ans, il économise pour faire dresser sa propre statue au milieu de la cour.

Une statue en pied, genre Napoléon avec la main sur le foie, et cette légende : « Pierre-Paul Louis de Culbert, alias P. P. Cul-Vert, qui honora de sa prodigieuse intelligence les bancs de ce modeste établissement. »

— Bizarre, a dit Rémi comme je hochais négativement la tête. Ça fait trois jours que je ne l'ai pas vu. Il ne descend même plus à la cantine. Ça ne lui ressemble pas.

– Je croyais que vous étiez dans le même dortoir.

Rémi haussa les épaules.

– P. P., partager le dortoir de vulgaires internes ?
Tu n'y penses pas ! Depuis qu'il a eu les félicitations,
on dirait la grenouille qui veut se faire plus grosse
que le bœuf… Figure-toi qu'il s'est fait donner une
chambre particulière. Voilà une semaine qu'il a
déménagé ses affaires et qu'il dort à la Morgue.

La Morgue, c'est ainsi que les internes appellent
l'infirmerie, une petite pièce avec un lit et un lavabo
juste à côté du bureau de Mme Taillefer.

– Il est peut-être malade, ai-je suggéré sans trop
y croire.

– Malade ? Malade de fierté, tu veux dire, bour-
souflé de vanité ! Il nous a laissés tomber comme de
vieilles chaussettes.

À ce moment-là, la cloche de huit heures a sonné.

– Vous allez en cours, les amoureux, ou vous continuez à roucouler ? a lancé quelqu'un.

– Philibert, a dit Rémi, un mot de plus et je te
fais un pif si gros que tu ne pourras plus mettre un
masque de plongée de tout l'été…

Nous nous sommes regardés. La même idée avait
germé dans notre esprit au même moment.

– Et si nous allions lui rendre une petite visite ?

De huit à neuf, nous avions maths avec M. Pignot.
Les profs avaient aussi peu envie que nous de tra-

vailler et je connaissais déjà le programme de la matinée : jeu du bac, mots croisés et encore jeu du bac... Ça durait depuis une bonne semaine et je commençais sérieusement à en avoir ma claque. D'ailleurs, ça faisait des jours que le cahier d'appel avait disparu. On pouvait sécher sans risque.

Rémi a jeté un coup d'œil autour de lui : la cour se vidait, pas de pions en vue.

– Pourquoi pas ? Ce rat de P. P. m'a fauché mon super canif à huit lames. Je ne serais pas fâché d'aller le lui réclamer poliment, a-t-il murmuré en soufflant sur son poing fermé. Non mais sans blague...

La perspective de nous retrouver un moment tous les trois avait chassé mon cafard. Après les aventures que nous avions vécues[1], les vacances semblaient bien fades. Il fallait en profiter. Demain, ce serait fini, nous ne nous reverrions plus jusqu'en septembre.

Du moins je le pensais... En fait, je me trompais lourdement.

---

1. Voir *Enquête au collège, L'intégrale 1.*

② L'invention de P. P.

L'infirmerie de Mme Taillefer est située sous les combles. Pour y accéder, il faut emprunter la galerie à claire-voie du premier étage, pousser une petite porte et grimper les marches d'un vieil escalier branlant qui sent l'éther et la pommade contre les bosses.

Comment Pierre-Paul pouvait-il survivre dans cette odeur de médicament ?

– Bah ! fit Rémi avec philosophie. Il s'entraîne pour l'époque où son illustre cerveau sera conservé dans un flacon de formol au musée des Sciences...

Je ne suis pas impressionnable, mais l'atmosphère de l'infirmerie me rappelait des souvenirs désagréables de dentiste et de varicelle.

Par chance, le bureau de Mme Taillefer était vide. Nous le traversâmes à pas de loup. Derrière une vitre en verre dépoli s'ouvrait la chambre de malade, la Morgue, où Pierre-Paul avait établi ses quartiers privés.

– Tu ne sens rien ? dis-je en reniflant.

– Si. Le suppositoire.

– Non, non : cette odeur de brûlé...

– Tu as raison. On dirait que ça vient de la chambre de P. P.

Nous poussâmes la porte avant de nous figer sur le seuil, pétrifiés par le spectacle qui nous attendait.

Une fumée âcre et noire flottait dans la pièce, piquant les yeux et empêchant de bien voir. Dans un coin, un petit réchaud à gaz, sur lequel quelque chose achevait de se carboniser dans une casserole. Ce n'était plus une chambre mais un véritable entrepôt, où s'entassait le plus invraisemblable monceau d'objets qu'on puisse imaginer : toile de parachute, ressorts à boudin, pataugas dépareillés, piolets d'escalade, boîtes de sardines à l'huile et mille autres choses moins identifiables encore...

Au milieu, prisonnière d'une sorte de sac, la tête prise dans un casque de cosmonaute, une forme sombre sautillait sur place en poussant des geignements étouffés.

Le temps d'éteindre le réchaud, d'ouvrir la fenêtre en grand et nous reconnûmes Pierre-Paul.

– Bon sang, P. P., qu'est-ce que tu fabriques ? gronda Rémi. Tu t'es déguisé en saucisse de Strasbourg ?

Une série de «Houmpf! Houmpf!» lui répondirent tandis que Pierre-Paul s'affalait sur le lit, se tortillant comme un ver de terre. De la buée commençait à se former sur la visière de son casque, derrière laquelle ses yeux roulaient avec affolement comme des poissons rouges dans un bocal d'eau trouble.

– Vite, Rémi! Il est en train d'étouffer!

S'emparant d'un manche de petite cuillère, Rémi fit sauter les boutons-pression, ouvrant la visière et libérant ce pauvre P. P.

– Merci, les amis, fit-il en haletant. Sans vous, j'étais mort.

Nous éclatâmes de rire. Il avait fière allure avec ce casque sur la tête, la visière relevée, saucissonné dans un sac de couchage amidonné qui lui montait jusqu'au cou. Nous l'aidâmes à en sortir. Dessous, il était en pyjama. Mais pour le casque, rien à faire : Rémi eut beau tirer à lui démancher le cou, il restait fixé sur son crâne, aussi solidement que s'il avait été vissé.

– Je ne vois qu'une solution, suggéra Rémi : scier à hauteur des épaules.

P. P. frissonna d'horreur.

– Simple phénomène physique, assura-t-il. Ma tête a dû gonfler sous l'effet de la dépressurisation.

– À l'heure qu'il est, dit Rémi, ton génial cerveau doit ressembler à un sachet de rognons sous vide... Quelle perte pour le progrès !

– Est-ce que tu pourrais nous expliquer au moins ce que tu faisais dans cette tenue ? demandai-je.

– Décidément, vous ne comprendrez jamais rien à la science, marmonna P. P. d'un air vexé. Quelqu'un pourrait-il me passer mes lunettes ? Merci... Pour tout vous dire, et bien que je craigne que tout cela ne passe largement au-dessus de vos médiocres capacités cérébrales, j'étais en train de tester un prototype.

– Un prototype ?

– Le premier sac de couchage intégral. Une invention de votre serviteur que je compte bien faire breveter.

– Visiblement, ça ne paraît pas encore tout à fait au point, remarquai-je.

– Je te l'accorde... Encore quelques minuscules détails à régler, et bientôt vous pourrez être fiers d'avoir assisté aux balbutiements d'une invention destinée à révolutionner l'histoire du camping.

– Rien que ça ! ironisa Rémi.

– Oui, acquiesça modestement P. P. Quelquefois, la profondeur de mon génie me donne le vertige... En fait, l'idée est assez simple. Encore fallait-il y songer. Vous connaissez tous les inconvénients du sac de couchage classique : la tête reste à l'extérieur, exposée au froid, à l'humidité, aux piqûres de moustiques, sans parler des innombrables bestioles qui profitent de la nuit pour se glisser bien au chaud par les échancrures…

Sa voix résonnait étrangement dans le casque. On aurait dit M. Pignot faisant un cours magistral sur sinus et cosinus.

– Et alors ? dis-je, frissonnant à l'idée des petites bêtes rampantes dont il parlait.

– Facile : il suffit de prolonger le sac par un casque intégral de moto, de lier le tout à l'aide d'une fermeture Éclair et le corps devient hermétiquement protégé, comme dans un scaphandre.

– Lumineux ! commenta Rémi. Et c'est ton scaphandre que tu essayais quand nous sommes miraculeusement intervenus ?

– Je m'étais mis une boîte de choucroute à mijoter. En attendant, j'ai voulu tester mon prototype expérimental. Mais voilà : la fermeture Éclair s'est bloquée. Sans vous, je risquais le sort tragique des pionniers de la science, victimes héroïques de leur dévouement.

Je n'en croyais pas mes oreilles ! Une choucroute, à huit heures du matin ?

– J'avais un petit creux, expliqua P. P. Et puis, il fallait bien vérifier la fiabilité de mon réchaud.

– Je n'y comprends rien, Pierre-Paul, dis-je en montrant le capharnaüm qui encombrait la chambre. Qu'est-ce que c'est que tout ça ? Depuis quand t'intéresses-tu au camping ?

– Top secret, fit P. P. en mettant un doigt devant sa bouche. Je ne peux rien dire pour l'instant, même sous la torture.

Ce qu'il y a de plus exaspérant chez P. P. Cul-Vert, c'est son don pour les cachotteries. On dit que les filles adorent faire des mystères, mais avec lui, je suis battue à plate couture.

– Tu as vraiment de la chance d'avoir un casque, P. P., a dit Rémi comme pour traduire mes pensées. Je t'aurais bien secoué la cafetière pour t'apprendre à faire les choses en douce.

– N'oublie pas que, sans nous, tu agonisais dans d'atroces convulsions, essayai-je. Ça mérite bien une petite récompense, non ?

– D'ailleurs, ajouta Rémi, une langue mal intentionnée pourrait fort bien rapporter à Mme Taillefer tes expériences culinaires à la Morgue... Je ne suis pas sûr qu'elle aurait très envie de partager ta choucroute.

P. P. se prit la tête entre les mains, paraissant réfléchir intensément. Avec son casque, on aurait dit qu'il tenait un énorme potiron comme on en voit dans les films d'épouvante pour les fêtes d'Halloween.

– D'accord, se décida-t-il enfin. D'accord… Je cède une fois de plus sous la contrainte… Seulement, l'endroit n'est pas sûr. Mme Taillefer peut surgir d'un instant à l'autre.

Il se leva, jeta un coup d'œil par la porte entrebâillée et revint s'asseoir, rassuré.

– Personne en vue pour l'instant… J'ai quelques rangements à faire pour remettre la chambre en état. Retrouvons-nous à midi juste au petit café près du collège. Jusque-là, je vous demande la plus extrême discrétion sur ce que vous avez vu et entendu ici. Inutile d'ajouter qu'il s'agit d'un rendez-vous ultra-secret ! Pas d'imprudence ni de retard… D'ailleurs, pour plus de sûreté, réglons nos montres. À la mienne, d'une précision suisse inattaquable, il est huit heures quarante-neuf.

Nous nous exécutâmes docilement. Il y a pire que les cachotteries de P. P. : son goût du mélodrame. Mais j'étais si curieuse de savoir ce qu'il manigançait que je me gardai bien de protester.

– Un dernier détail : je viendrai certainement déguisé. Pas question de prendre des risques. Pour que vous me reconnaissiez, j'aurai à la main une plante en pot. Pas de questions ?

Rémi hocha rêveusement la tête.

– Quelquefois, P. P., je n'arrive pas à croire que tu existes vraiment.

– Je sais, mon vieux, je sais. Je m'étonne moi-même certains jours qu'une telle puissance cérébrale ait pu être concentrée dans un être aussi frêle… Mais tu t'y habitueras, tu verras.

Et sur ces doctes paroles, il nous mit proprement à la porte.

③
Le rendez-vous

En fait de rendez-vous ultra-secret, on aurait pu imaginer mieux.

Le Perroquet Bleu est un petit café vieillot dont la terrasse fait l'angle avec la rue du collège. C'est là que Rémi vient jouer au baby-foot, le mercredi après-midi, avec Philibert et les internes. Des stores citron ombrageaient la terrasse et, de l'endroit où nous nous trouvions, attablés devant des laits-fraise, nous pouvions surveiller l'horloge placée au-dessus du comptoir.

— Moins cinq, a dit lugubrement Rémi. À mon avis, il s'est débarrassé de nous à bon compte. Il ne viendra pas.

Rémi a toujours été défaitiste. Le matériel entassé dans la chambre de P. P., ses airs mystérieux, tout cela m'intriguait, et je m'aperçus que j'avais passé la matinée l'œil rivé sur ma montre, le cœur battant un peu plus vite à mesure que l'heure du rendez-vous approchait. Les idées qui germaient dans le cerveau compliqué de P. P. conduisaient en général tout droit à la catastrophe, mais j'aurais voulu être plus vieille de quelques minutes.

À midi tapant, quelqu'un poussa la porte du café : une sorte de scout en short et godillots, qui ployait sous le poids d'une énorme plante verte et jetait des regards méfiants derrière lui.

– P. P. ! s'écria Rémi en lui faisant une place sur la banquette. Qu'est-ce que c'est que ce déguisement grotesque ?

– Ma vieille tenue de louveteau, dit P. P. à mi-voix. Elle me boudine un peu sous les aisselles. Mais comment m'avez-vous reconnu ?

– Je ne connais aucun scout au monde qui porte un casque de moto et une fougère de deux mètres de haut !

– Pas pu trouver autre chose, expliqua P. P. J'ai dû emprunter la plante de Mme Taillefer.

– Mais le casque ? dis-je en me retenant pour ne pas hurler de rire.

– Toujours coincé, mais idéal pour préserver l'incognito. Astucieux, non ? D'ailleurs, savoir s'adapter aux circonstances a toujours été la marque des grands esprits.

— En tout cas, remarqua Rémi, tes facultés d'adaptation ne sont pas passées inaperçues.

Un silence sidéré était tombé sur le café à l'entrée de Pierre-Paul et tous les regards convergeaient vers nous.

— Monsieur prendra une paille avec son diabolo ? demanda le serveur, goguenard, en prenant nos commandes. Et pour la plante : eau plate ou eau gazeuse ?

Nous attendîmes qu'il se soit éloigné pour bombarder P. P. de questions.

— Un peu de patience, un peu de patience, dit-il, tâchant de glisser sa paille sous la mentonnière du casque avant d'aspirer une grande lampée. Le marchand de journaux n'ouvre que dans une demi-heure. Vous ne saurez rien avant...

Ses simagrées commençaient à devenir franchement exaspérantes. J'allais le lui dire quand il reprit :

— Mettons à profit le temps qui nous reste pour régler un petit préalable. Quels sont exactement vos projets pour les vacances ?

— Mes projets ? répéta Rémi en haussant les épaules. Ma mère est complètement à sec, comme d'habitude. Alors, les vacances...

— Moi, je ne pars qu'en août, expliquai-je. Je vais à La Baule, comme chaque année.

— Génial ! dit P. P. Absolument génial !

Je ne voyais pas ce que la perspective de passer le mois de juillet seule chez moi, couchée sur mon lit, à me ronger les ongles en regardant des feuilletons débiles à la télé, pouvait avoir de si génial. P. P. était-il devenu fou tout à coup ?

– Ça coïncide parfaitement avec mes propres plans, continua-t-il. Si je résume, vous êtes tous les deux libres comme l'air ?

– Écoute, P. P., intervint Rémi avec humeur, tu ne crois pas que tu nous as assez fait mariner comme ça ?

– Quelques secondes de patience, dit P. P. en se levant. Le temps d'acheter le journal et vous pourrez tous les deux me baiser dévotement les pieds.

– Mathilde, me dit Rémi en regardant s'éloigner la petite silhouette grassouillette de P. P., ce type est complètement cinglé ! Ce n'est pas un casque mais un entonnoir qu'il devrait porter sur la tête.

J'avoue que moi aussi je commençais à douter de la santé mentale de Pierre-Paul.

– Trop de maths, dis-je. Le carré de l'hypoténuse lui sera monté à la tête… À moins que ce soit ce casque qui lui a dépressurisé les méninges…

Nous nous tûmes un instant. P. P. a beau être le garçon le plus exaspérant que je connaisse, c'est dur de voir un être jeune et plein de promesses sombrer subitement dans la démence… On dit quelquefois

29

qu'à l'approche de l'été et des grandes chaleurs, des gens comme vous et moi ont les plombs qui sautent : sans raison apparente, ils mettent le feu à des forêts ou découpent des enfants en rondelles pour les faire cuire dans l'huile d'olive…

Était-ce ce qui arrivait à P. P. ? J'eus un petit frisson de recul quand il revint s'asseoir, brandissant triomphalement son journal.

④
La chasse au trésor

– Mes amis, commença solennellement P. P., l'heure des explications a sonné... Sachez d'abord que vous n'avez plus devant vous Pierre-Paul Louis de Culbert, élite incontestée de la 4e 2, mais le futur vainqueur de la plus grande chasse au trésor organisée dans l'Hexagone !

Il ménagea une pause, mesurant à notre air ahuri l'effet de ses paroles.

– Mais commençons plutôt par le commencement... Quoique ce cher Pharamon ne soit pas un fanatique de la lecture, vous connaissez sans doute *La Dépêche*, excellent journal auquel ma sœur vénérée, Rose-Lise de Culbert, est abonnée depuis quelques années... J'étais chez elle l'autre dimanche quand, par un hasard littéralement miraculeux, je suis tombé sur l'article que voici.

Il tira de sa poche un morceau de papier plié en quatre qu'il nous tendit.

– Bien sûr, je pourrais improviser l'un de ces résumés synthétiques et brillants dont j'ai seul le secret, mais il vaut mieux que vous en preniez connaissance par vous-mêmes.

– Très obligeant, P. P.

– Sans vouloir te froisser, mon pauvre Pharamon, je me suis souvent demandé comment vingt siècles de culture avaient pu produire ce boyau racorni qui te sert de cervelle.

Rémi ouvrit la bouche pour répondre. Mais qui peut se vanter d'avoir jamais le dernier mot avec P. P. Cul-Vert ?

Ravalant une grossièreté, il se plongea avec moi dans la lecture de l'article.

PARTEZ À LA RECHERCHE DE LA SALAMANDRE D'OR !

Cet été, notre journal organise pour ses lecteurs une chasse au trésor.

Une salamandre d'or, œuvre du grand sculpteur Roberto Bolognese, a été dissimulée quelque part en France.

Le signal du départ sera donné dans notre édition du 6 juillet sous la forme d'un premier indice, soumis à la sagacité de nos lecteurs.

De site en site, à travers l'une des plus belles

régions de France, découvrez les nouveaux indices qui vous conduiront au terme de la quête et devenez propriétaire de la Salamandre d'Or, une œuvre unique d'un prix inestimable.

– Eh bien! triompha P.P. Qu'en dites-vous?

– Fantastique, convint Rémi. Moi qui croyais que les chasses au trésor n'existaient que dans les livres… Mais quel jour sommes-nous?

– Le 6 juillet, précisément! Vous comprenez pourquoi je vous ai fait attendre jusqu'à l'ouverture du kiosque à journaux.

– P.P., dis-je, je dois avouer que j'ai douté de toi. Ainsi, tout ce matériel de camping…

– Mon attirail de campagne : le strict nécessaire du parfait chercheur de trésor.

– D'accord. Mais, très franchement, je ne vois pas en quoi cela nous concerne, Rémi et moi.

– Mais vous partez avec moi, bien sûr! J'avais l'intention d'agir seul, mais votre intervention providentielle, ce matin, m'a fait changer d'avis. Après tout, une fille peut toujours servir à recoudre des boutons et ce bon Pharamon a déjà montré qu'il pouvait faire à l'occasion un excellent porteur.

– En quelque sorte, nous serions tes domestiques. Merci, P.P.!

– Stanley lui-même engageait bien des indigènes

quand il s'enfonçait au cœur inexploré de l'Afrique...
Et puis, quel honneur pour vous, êtres médiocres et
besogneux, de partager ma gloire !

– Tu dérailles complètement, P.P. Je n'ai aucune
envie de te servir de sherpa. Et puis, comment
ferions-nous pour nous déplacer ? « Quelque part
en France », dit le journal. C'est plutôt vaste !

– J'ai tout prévu. Nous louons des deux-roues
motorisés. Toi, Mathilde, tu as déjà ta Mobylette.
Un peu d'argent de poche, une tente, mon sac de
couchage intégral, quelques boîtes de conserve, et
nous voilà fin prêts. La Salamandre d'Or n'a qu'à
bien se tenir !

– C'est tentant, opinai-je avec regret. Mais mes
parents ne voudront jamais.

L'enthousiasme de P.P. avait déteint sur moi. Une
chasse au trésor... Une balade à Mobylette à travers
la France... L'aventure... Le danger... Une salamandre d'un prix inestimable... J'entendais déjà
la voix de mes parents, toujours si raisonnables :
« Une fille seule, livrée à elle-même avec deux garçons sur les routes de France ? Tu n'y penses pas ! »
C'est trop injuste à la fin : les filles ont beau être
beaucoup plus mûres que les garçons, c'est eux qui
ont tous les droits, et nous rien sous prétexte que
nous sommes des filles ! Je ne suis pas jalouse. Mais
obligez n'importe lequel des garçons de la classe à

porter des jupes et de petits machins ridicules dans les cheveux, et on verra s'il est taillé pour l'aventure !

– Tu feras ce que tu veux, P.P., a décrété Rémi après un long silence. Moi, c'est décidé : je ne partirai pas sans Mathilde. Ce sera tous les trois ou rien.

Je dois dire que j'en suis restée bouche bée. C'était si gentil de sa part que ça m'a décidée : je rallumerais la guerre de Cent Ans s'il le fallait mais, foi de Mathilde, mes parents diraient oui !

– Je reconnais bien là ton esprit chevaleresque, mon bon Pharamon, dit P.P. Mais je crains que ton sacrifice ne soit pas nécessaire. Tu connais Mathilde : quelques larmes hypocrites, un zeste de rouerie typiquement féminine, deux ou trois « mon petit papa chéri » et l'affaire sera dans le sac.

Comme j'aurais aimé qu'il dise vrai ! Dans mon genre, je me débrouille assez bien. C'est toujours moi qu'on envoie pour faire reporter un devoir ou lever une punition. P.P. appelle ça de la « rouerie », moi je préfère dire que je suis « diplomate ». Dans les bons jours, je pourrais vendre des bigoudis à un chauve. Mais mes parents seraient plus difficiles à convaincre qu'un régiment entier de chauves...

– Puisque les problèmes secondaires sont réglés, reprit Pierre-Paul, si nous entrions dans le vif du sujet ?

Il déplia sur la table *La Dépêche* du jour. Une photo en page 2 montrait un homme corpulent, avec des poches sous les yeux et une longue barbe frisée, qui tenait dans ses bras une statuette de dragon coiffée d'une couronne et crachant des flammes.

– Regardez : Roberto Bolognese et la Salamandre d'Or ! s'écria Rémi. Ce petit bibelot fera un effet bœuf sur la télé du salon.

– Pas question, s'insurgea P. P. Le trophée revient de droit au chef de l'expédition. Article premier de la Charte des Aventuriers et Chercheurs de Trésor, dont je suis le fondateur, le président et le membre unique.

– Au lieu de vous chamailler bêtement, intervins-je, si vous m'aidiez à déchiffrer le premier indice ?

En fait de premier indice, c'était un vrai casse-tête chinois que proposait le journal.

En voici le texte exact :

La quête tu commenceras
Sur la Colline de César
Qui vit les rives de la Loire
Refleurir au temps des frimas.

– Qu'est-ce que c'est que ce charabia ? demandai-je.

P.P. secoua pensivement la tête.

– Aucune idée. C'est aussi hermétique que le boîtier de ma montre étanche.

– Et quand je pense que le prof de français me
reproche mon style, ironisa Rémi.

Nous restâmes un moment silencieux, lisant et
relisant le texte de l'énigme.

– Désolé, les amis, murmura Pierre-Paul. Je n'y
comprends goutte.

– Moi, je crois que j'ai la solution, dis-je lentement.

P.P. me considéra d'un œil incrédule.

– Oui, répétai-je. Je crois que j'ai la solution : allons
trouver M. Coruscant. Lui seul peut nous aider.

⑤
M. Coruscant cogite

M. Coruscant a toujours été mon professeur préféré. C'est un homme doux et juste, un original tiré
à quatre épingles qui aime les chats et les vieux livres.
Avec lui, l'histoire-géo devient une matière passion-
nante : il connaît tant de choses qu'on dirait qu'il
a joué aux échecs avec Napoléon et connu Vercin-
gétorix enfant.

Cette année, nous avions eu beaucoup de chance.
M. Coruscant était notre professeur principal. C'est
avec lui que nous sommes allés à Venise, c'est lui qui
nous a permis de résoudre le mystère de la crypte[1].
Nous lui devions une fière chandelle et j'étais sûre
qu'il accepterait de nous venir en aide.

M. Coruscant habite une petite maison biscor-
nue, couverte de vigne vierge et de rosiers grim-
pants. Nous le trouvâmes dans le jardin, vêtu d'un

---

1. Voir *Le professeur a disparu.*

casque colonial et d'un short immense dans lequel ses jambes maigres paraissaient flotter.

– Mademoiselle Blondin! De Culbert! Pharamon! clama-t-il en nous apercevant. Surtout ne bougez pas!

Nous nous arrêtâmes, interdits. C'était un bien étrange accueil… Tapi dans la position typique du chasseur de fauves, M. Coruscant brandissait au-dessus de sa tête une espèce d'épuisette à long manche. Il en moulina l'air puis, avec un petit « Hop! », en coiffa délicatement le vieux buste de plâtre dressé sur une colonne au milieu de la pelouse.

– Entrez, entrez, dit-il enfin en s'épongeant le front. Je l'ai eu : un spécimen rarissime de papillon des rosiers que je guettais depuis trois jours.

Pinçant sa prise par les ailes, il la glissa dans la musette qui pendait à son côté.

– Ce sera le joyau de ma collection. Mais asseyez-vous donc. Quel bon vent vous amène?

Quand nous fûmes assis à l'ombre du cerisier, devant des limonades bien fraîches, j'exposai succinctement le motif de notre visite.

– Une chasse au trésor? Palpitant! Comme je regrette de n'être plus tout jeune. Je vous aurais volontiers accompagnés. Une salamandre d'or, dites-vous?

– Oui, expliqua P. P. Une œuvre originale de Roberto Bolognese, le grand sculpteur. Mais je crains que ce ne soit sans espoir. Nous ne savons même pas par où commencer.

– Apprenez, mon jeune ami, que la difficulté fait le piquant de l'existence. Rome elle-même ne s'est pas faite en un jour, n'est-ce pas ?

– À propos de Rome, monsieur Coruscant, intervint Rémi, peut-être pourriez-vous nous aider à déchiffrer ce galimatias.

M. Coruscant ajusta obligeamment ses lunettes avant de lire de sa voix de stentor le papier qu'on lui tendait.

– Hum, hum, voyons cela... Galimatias, dites-vous, Pharamon ? « La quête tu commenceras / Sur la Colline de César / Qui vit les rives de la Loire / Refleurir au temps des frimas »... Plutôt complexe, en effet. Cela m'a tout l'air d'un quatrain en octosyllabes rimés, de piètre qualité je dois dire.

Cela ne nous aidait guère. M. Coruscant se gratta pensivement le menton. Nous étions suspendus à ses paroles : si lui aussi séchait, nous pouvions dire adieu à la chasse au trésor.

– Voyons, voyons, répéta-t-il. Prenons les difficultés une par une. Vous n'êtes pas sans avoir remarqué, chers petits amis, la majuscule de « Colline ». La « Colline de César » est donc un nom propre, la traduction sans doute d'un vieux nom gallo-romain... Pour ma part, je pencherais volontiers pour *Caesarodunum*. Mon latin n'est plus ce qu'il était, mais c'est ainsi qu'on appelait jadis la ville de Tours, ancienne cité des Turons et ancienne capitale de la Touraine.

– Mais bien sûr! s'exclama P.P. Comment n'y ai-je pas pensé plus tôt?

Nous avions tous les yeux brillants d'excitation. Grâce à M. Coruscant, nous savions désormais où commencer la chasse.

– « Tours, récita P.P., 132 677 habitants, célèbre dans le monde entier pour ses soieries de velours, ses pâtisseries et ses rillettes... »

– 20 sur 20, de Culbert, approuva M. Coruscant. Notre hypothèse, d'ailleurs, se voit confirmée par le troisième vers qui évoque, je vous le rappelle, « les rives de la Loire ».

– D'accord, dit Rémi, visiblement agacé par le numéro de chien savant de P.P. Mais Tours est une grande ville. Où chercher?

– Je reconnais bien là votre caractère fougueux, Pharamon. N'oubliez pas ces mots de La Fontaine : « Patience et longueur de temps font plus que force ni que rage... » Il nous reste le dernier vers, plutôt énigmatique, je l'avoue, mais qui devrait nous permettre de mieux circonscrire le champ de nos recherches.

– Vous croyez ? Pour moi, c'est du jus de boudin.

– Apprends, mon cher Pharamon, pérora P.P., que le « temps des frimas » désigne l'hiver en langage soutenu. Langage qui, je te le concède, ne t'est guère familier…

J'intervins. Ils n'allaient tout de même pas se mettre à se chamailler devant M. Coruscant !

– Cela n'explique rien. Comment la nature peut-elle « refleurir en hiver » ? À moins d'un miracle…

– Vous ne croyez pas si bien dire, coupa M. Coruscant en se frappant le crâne.

Il se pencha vers nous, surexcité par sa découverte.

– Merci, mademoiselle Blondin ! Permettez-moi de vous embrasser sur le front.

Il s'exécuta tandis que je rosissais sous le compliment. Qu'avais-je dit de si transcendant ?

– Un miracle, bien sûr, continua-t-il. Le fameux *été de la Saint-Martin* ! Figurez-vous, mes enfants, que vécut à Tours, au IVe siècle, le vénérable évêque saint Martin, célèbre pour avoir partagé son manteau avec un mendiant. Quand il mourut, en 397, on transporta son corps en bateau sur la Loire. Et là, ô miracle, la nature tout entière se mit à refleurir bien qu'on fût en novembre ! Voilà l'explication de notre dernier vers.

Pour un peu, je l'aurais embrassé à mon tour.

– Fabuleux ! dit P. P. Permettez-moi, monsieur, de rendre un hommage ému à votre érudition quasi pharaonique !

M. Coruscant hocha modestement la tête.

– Vous êtes trop indulgent, de Culbert. Ce n'est que l'humble contribution d'un vieux professeur à votre palpitante aventure... Cela me consolera un peu de ne pouvoir la partager avec vous.

– Résumons-nous, dis-je, toujours pratique, pour échapper à l'émotion qui nous gagnait. Objectif : Tours, sur les rives de la Loire. Là, nous cherchons les vestiges célébrant le miracle de la Saint-Martin. Après, à nous de jouer !

Comme tout paraissait simple grâce à M. Coruscant ! J'en oubliais presque l'essentiel : réussir à convaincre mes parents de me laisser partir.

– Attendez, dit M. Coruscant en se levant. J'ai quelque chose qui devrait vous aider.

Il entra dans la maison et ressortit peu après en soufflant la poussière sur la tranche d'un gros livre qu'il nous confia.

– C'est un guide historique de la Touraine et du Val de Loire. Vous y trouverez sans doute toutes les informations utiles à vos recherches.

Puis, se tournant vers moi :

– Tenez, mademoiselle Blondin. Voici pour vous. Cette enveloppe contient une lettre pour vos parents et un ordre de mission officiel, signé de votre professeur principal : je vous charge de la préparation d'un exposé sur les châteaux de la Loire pour la rentrée prochaine... Ceci devrait aplanir bien des difficultés, n'est-ce pas ? ajouta-t-il en clignant de l'œil.

Cher M. Coruscant ! Comment avait-il deviné ? Nantie de sa précieuse lettre, j'étais sauvée : mes parents ne pourraient pas m'interdire d'effectuer pour lui ce devoir de vacances.

– Eh bien, bonne chance, mes jeunes amis, ajouta-t-il en nous raccompagnant jusqu'au portail. J'ai quelques papillons à classer et cette étude sur la monnaie romaine que je voudrais achever dans l'été. Mais j'espère avoir bientôt de vos nouvelles. Tenez-moi informé des progrès de votre expédition, n'est-ce pas ?

Nous lui en fîmes la promesse solennelle.

Vous comprenez maintenant pourquoi moi, Mathilde Blondin, élève de 4e 2 au collège Chateaubriand, je me suis décidée à prendre la plume. J'écrirai le récit détaillé de notre aventure et je l'offrirai à M. Coruscant à la rentrée prochaine. Tous les trois, nous lui devions bien ça.

⑥
En route !

Je passerai vite sur nos préparatifs. D'autres candidats avaient pu résoudre comme nous l'énigme de *La Dépêche*, il n'y avait pas de temps à perdre si nous ne voulions pas arriver bons derniers.

La lettre de M. Coruscant avait obtenu l'effet escompté. Mes parents me donnèrent une semaine, pas un jour de plus, mille recommandations et une trousse d'urgence bourrée de pansements, flacons de teinture d'iode, pommades et crèmes antimoustiques. Ma mère a toujours une peur bleue qu'il m'arrive quelque chose.

Le temps de faire réviser ma vieille Mobylette, de charger mon baluchon du strict nécessaire et, deux jours plus tard, je rejoignais Pierre-Paul à la gare.

Nous avions décidé, pour gagner des heures sans doute précieuses, de rejoindre Tours par le train. Rémi, toujours fauché, devait s'y rendre dans la voiture de son oncle Firmin. Nos vélomoteurs étaient déjà enregistrés en bagages accompagnés et, fidèle à mes habitudes, j'arrivai à la gare très en retard. Quand je déboulai sur le quai, trébuchant sous le poids de mon sac, le train venait de s'ébranler.

Je n'eus que le temps de sauter dans la première voiture. Les portes claquèrent automatiquement derrière moi : je venais de l'échapper belle !

– Beau début, dit P. P. quand je le rejoignis dans son compartiment. Tu as failli faire tout rater ! Décidément, on ne peut jamais compter sur la ponctualité féminine.

– Ça ne t'a pas coupé l'appétit, à ce que je vois, ripostai-je en m'effondrant sur la banquette.

Pierre-Paul avait installé sur ses genoux une serviette à carreaux et s'employait à fourrer dans une demi-baguette la moitié d'un saucisson découpé en rondelles. Une boîte de pâté entamée, deux cuisses de poulet froid et un régime de bananes attendaient sur la tablette.

– Oh ! un frugal en-cas, tout au plus, expliqua-t-il en mordant dans son sandwich. Je ne sais pas pourquoi, les voyages me donnent toujours faim.

– On dirait que tu t'apprêtes à traverser la Sibérie en omnibus ! Nous serons à Tours dans une heure trente à peine.

– Ça va, dit-il en attaquant voracement le pâté. J'arriverai bien à tenir jusque-là.

Je constatai avec plaisir qu'il avait réussi à se défaire enfin de son casque. Ça m'aurait ennuyée de voyager avec un type déguisé en ovni.

– Cette fois, j'en ai pris un plus grand, me rassura-t-il.

– Tu ne comptes pas porter tout ça ? demandai-je, incrédule, en désignant l'énorme sac qui tanguait à côté de lui.

– Quelques impedimenta, le strict minimum : tente à deux places, réchaud à gaz, moustiquaire, lampe-torche, piles de rechange, rations de survie, tricots de corps, sous-vêtements ouatinés, pyjama double épaisseur, fusées de détresse, quelques gamelles pour le frichti… Tu crois que j'ai oublié quelque chose ?

Décidément, P. P. était indécrottable. Il se leva, jeta un œil dans le couloir et, tranquillisé, referma la porte du compartiment.

– Pas d'espion en vue… Bon, nous pouvons parler en toute sûreté. J'ai étudié le guide de M. Coruscant. De la basilique érigée en mémoire de saint Martin, il ne reste plus aujourd'hui que la tour Charlemagne. C'est maigre mais, à mon humble avis, c'est là qu'il faut chercher.

C'était bien la première fois que j'entendais P. P. parler d'humilité. P. P. est un Himalaya de vanité,

l'un des derniers sommets invaincus de la bouffissure humaine… Je m'absorbai avec lui dans l'étude
du plan.

– Étrange, murmura-t-il. Ça fait deux fois que cet
homme passe devant notre compartiment…

– Bah! dis-je. Le train est bondé, il cherche une
place assise, voilà tout. Qui veux-tu qui nous suive?

– Tu as raison. Pure déformation professionnelle :
je suis moi-même un expert en filatures.

Je le laissai délirer et me calai contre la fenêtre,
réfléchissant au tour inattendu qu'avaient pris les
vacances. Qui aurait pu imaginer seulement trois
jours plus tôt que je filerais vers l'aventure dans un
compartiment de deuxième classe?

– Tours, Tours, deux minutes d'arrêt, nasillait déjà
la voix dans le haut-parleur.

J'aidai P.P. à rassembler son barda. Le sac sur le
dos, il tenait à peine debout, on aurait dit un nain
vacillant sous le poids de la tour de Pise.

– Heureusement que tu n'as emporté que le strict
minimum, lançai-je avant de sauter lestement sur
le quai.

J'avais hâte de retrouver Rémi. Nous étions à Tours
et l'aventure commençait.

⑦
Le mystère
de la tour Charlemagne

Il fallut d'abord patienter dans un bureau pour récupérer nos vélomoteurs. Nous avions rendez-vous avec Rémi sur le parvis de la gare. Il faisait un soleil de plomb, c'était un jour de départ en vacances, impossible de repérer quelqu'un dans la foule des voyageurs.

– Quelle heure est-il à ta montre suisse d'une précision inattaquable ? demandai-je en louchant vers l'horloge.

J'avais soif, des fourmis dans les jambes et l'impression que la grosse aiguille de la gare progressait au ralenti.

– Bientôt quatre heures… Notre ami Pharamon a déjà plus d'une demi-heure de retard. Si ça continue, je vais rater le moment du goûter.

Une autre demi-heure passa. Toujours pas de

Rémi. Qu'était-il arrivé ? Ce genre de retard ne lui ressemblait pas, sauf les jours de contrôle. C'était plutôt de mauvais augure.

Nous l'aperçûmes enfin, hirsute et écarlate, qui se déhanchait au milieu de la circulation sur une vieille bicyclette toute bariolée.

– Un ennui de dernière minute... haleta-t-il. Mon oncle Firmin a crevé à vingt kilomètres... J'ai dû finir le chemin à vélo.

– Qu'est-ce que c'est que cet engin ridicule ? demanda P. P. Tu ne comptes pas m'accompagner avec ça ?

P. P., pour l'occasion, chevauchait une splendide Vespa flambant neuve, avec changement de vitesses et sacoche pour les bagages. Moi, j'avais ma vieille et fidèle Mobylette.

– C'est la bécane de Philibert, répondit Rémi en nous jetant un regard d'envie. Ma mère a... euh... une gêne passagère. Pas les moyens de me louer un truc à moteur.

– Aucune importance, coupai-je. On se débrouillera. Il faut nous dépêcher si nous voulons trouver la tour Charlemagne encore ouverte.

– Nous dépêcher, nous dépêcher... Vous en avez de bonnes, vous ! Qu'est-ce que vous croyez que je fais depuis une heure ?

La tour Charlemagne, selon le plan de P. P., était

située dans le cœur historique de la ville. Rémi, sur son vélo, avait du mal à nous suivre et, plusieurs fois, je dus ralentir pour ne pas le semer. Il faisait une chaleur lourde, pesante. Le ciel avait pris des teintes de plomb et des hirondelles tournoyaient en piaillant, ajoutant au caractère lugubre de l'édifice.

– C'est ça ta tour, P. P. ? demanda Rémi pendant que nous attachions nos engins à une grille. Plutôt décatie… Charlemagne aurait mieux fait de se casser une jambe le jour où il a décidé d'inventer l'école et de construire ce machin.

– Inénarrable Pharamon ! Apprends donc que ce « machin », comme tu l'appelles, a été érigé entre le XIᵉ et le XVIIIᵉ siècle et que, quoi qu'en pense un petit cycliste grotesque, il compte parmi les merveilles architecturales de cette ville.

– Très bien. Je te laisse faire l'ascension de cette merveille architecturale. Moi, j'ai les jambes en coton : pas question de faire un pas de plus.

– D'accord, dis-je. Rémi gardera les bagages. Pendant ce temps, Pierre-Paul et moi visiterons la tour.

Aussitôt dit, aussitôt fait. Nous mêlant aux touristes, nous entrâmes dans la tour. Si l'idée de P. P. était la bonne, c'est là que nous trouverions le deuxième indice. Mais où chercher ? Déjà, P. P. s'était élancé dans l'escalier, la loupe à la main et reniflant comme un chien de chasse.

Au bout d'une escalade qui me parut interminable, nous débouchâmes sur une sorte de plate-forme à ciel ouvert. La ville s'étendait à nos pieds en un moutonnement de toits gris et, en se penchant un peu, on aurait pu apercevoir Rémi tout en bas.

Instinctivement, je reculai d'un pas.

– Pierre-Paul, il faut que je t'avoue quelque chose : j'ai toujours eu un vertige atroce.

– Allons, du cran. Respire ! Rien de mieux que l'altitude pour stimuler les petites cellules grises. Je sens que nous brûlons.

Au même instant, je poussai un cri :

– Ça y est, P. P. ! Je crois que j'ai trouvé !

Devant nous, bien en vue, s'étalait un bas-relief. « Saint Martin partageant son manteau », disait la légende. Au-dessous, sur un présentoir, s'empilait une liasse de prospectus aux armes de la salamandre.

– Hourra ! beugla P. P. Le deuxième indice.

– Mais qu'est-ce que tu fais ? demandai-je en le voyant empocher sans vergogne tout le paquet d'indices.

– Eh bien ! euh… Disons que je brouille les pistes.

– Espèce de sale tricheur ! Tu veux être le seul à trouver, c'est ça ? Qui te dit, d'abord, que nous sommes les premiers ? Si tout le monde fait comme toi, nous pouvons dire adieu à la Salamandre d'Or.

– Ça va, ça va, je les remets, bougonna-t-il.

Il marmonna quelque chose sur les filles et leur déplorable honnêteté. En fait, je crois qu'il était vexé comme un pou. Je l'avais pris la main dans le sac et il n'était pas très fier de lui.

⑧
Le deuxième indice

La descente fut plus rapide que la montée.

Nous étions presque en bas, dévalant les marches quatre à quatre, lorsque P. P. buta contre un individu qui venait en sens inverse. Perdant l'équilibre, il battit l'air de ses bras et vint s'affaler de tout son long sur moi tandis que ses lunettes achevaient la descente en un magnifique vol plané.

Par chance, P. P. est plutôt rembourré. Tout le choc avait été pour moi.

– Tu n'as rien ? demandai-je en l'aidant à ramasser ses lunettes. Le malotru ne s'est même pas arrêté !

– Tu m'as fracassé les côtes avec ton coude, gémit-il. Je ne pourrai plus jamais respirer normalement.

– C'est un peu fort ! Je viens quasiment de te sauver la vie et...

– L'homme du train, murmura-t-il sans m'écouter. Je suis presque sûr que c'était l'homme du train.

– Encore ? Mon pauvre P. P., tu deviens parano. Il suffit qu'un malappris te bouscule et tu te crois suivi. D'ailleurs, je me demande comment tu pourrais distinguer une vache d'un éléphant sans tes lunettes.

– Tu as sans doute raison, fit-il. Pourtant, j'aurais juré l'avoir reconnu.

L'excitation de notre trouvaille dissipa vite l'impression laissée par cet incident. Nous rejoignîmes Rémi et, attablés tous les trois devant de grands verres de Coca, nous nous penchâmes sur le deuxième indice.

Je dois dire, pour être tout à fait franche, qu'il était aussi obscur que le premier.

C'était un petit texte en vers, intitulé « Le Poème de saint Martin ».

Partir vers l'est ne feras point.
C'est la quête de saint Martin.
À Ambatia, Chinon, La Flèche,
T'arrêteras pour La Dépêche.

J'avais beau me pressurer les méninges, tout cela n'avait aucun sens. Il y avait bien la mention de *La Dépêche* pour nous prouver que nous étions sur la bonne voie. Mais pour le reste, il nous aurait fallu M. Coruscant. Lui seul aurait pu dénouer ce méli-mélo.

– Une chose est sûre, suggéra Rémi, un peu requinqué de ses efforts. Le message propose une direction. Mais laquelle ? Éliminons l'est, comme le dit le premier vers. Reste Chinon et La Flèche. D'après la carte, ce sont deux villes de Touraine. Le problème, c'est qu'elles sont diamétralement opposées. Dans laquelle faut-il aller ?

– Tu oublies Ambatia, dis-je.

– Là, je sèche. Il n'y a aucune ville de ce nom sur la carte. Nous sommes bel et bien dans le cirage.

– Peut-être pas, intervint P. P. Peut-être pas.

– Tu pourrais nous aider au lieu de faire des bulles dans ton verre, remarqua Rémi. Après tout, c'est toi le cerveau.

– Un instant. Mon petit ordinateur cérébral me dit que j'ai peut-être la solution.

Derrière ses lunettes épaisses comme des loupes, ses paupières clignaient à toute vitesse.

– Rigueur et circonspection, commença-t-il. Suivons la méthode de notre bon maître. De quoi disposons-nous ? D'un ordre de marche plutôt énigmatique. De directions contradictoires. D'un nom de ville inconnu à consonance plutôt latine. Le tout me semble avoir été composé pour égarer les recherches.

– Puissamment raisonné, P. P., ironisa Rémi. Il t'a fallu tout ce temps pour trouver ça ?

– La clef du mystère doit donc nécessairement se trouver ailleurs, poursuivit P.P., ignorant l'interruption. Dans un détail si aveuglant que nous n'y avons même pas prêté attention.

– Et lequel, je te prie ?

– Mais le titre, mon bon Pharamon ! Le titre ! Vous vous rappelez ce que nous a dit M. Coruscant : saint Martin est resté célèbre pour avoir donné à un mendiant la moitié de son manteau.

– Je ne vois pas le rapport, maugréa Rémi.

– Il est évident, pourtant. Que veux dire « Le Poème de saint Martin », sinon qu'il faut faire comme avec le fameux manteau ?

Et, joignant le geste à la parole, il plia le prospectus dans le sens de la longueur et, d'un coup sec, le déchira en deux.

– P.P., tu es complètement cinglé ! hurla Rémi. Tu viens de détruire notre seul indice !

– Mais non, regardez, dit-il. Tout est clair à présent.

C'était incroyable, mais il avait raison. Coupé en deux, le message devenait limpide comme de l'eau de roche :

Partir vers l'est
C'est la quête
À Ambatia
T'arrêteras.

– La deuxième moitié de chaque vers ne servait qu'à brouiller les cartes, expliqua P.P. Ce qui m'a mis sur la voie, outre le titre, ce sont les rimes intérieures : « est » et « quête », « Ambatia » et « arrêteras ». D'ordinaire, on ne fait rimer que les dernières syllabes de chaque octosyllabe.

– Brillant, P.P., brillant, admis-je. Mais Ambatia ?

– Facile, dit P.P. en haussant les épaules. Le guide de M. Coruscant nous apprend qu'il s'agit de l'ancien nom d'Amboise, ville située à l'est de Tours en suivant la Loire... Maintenant, si Pharamon tient absolument à me présenter ses plus plates excuses pour ses remarques désobligeantes, je consens à les recevoir.

– Ça va, P.P., je m'excuse, bougonna Rémi. C'est cette crevaison qui m'a mis en pétard. Tu nous en as bouché un coin, je l'avoue. Maintenant, si nous voulons rejoindre Amboise avant la nuit, on a intérêt à se dépêcher.

– D'accord, dit P.P. Mais pas avant que vous ne m'ayez offert une énorme assiette de cervelas et de rillettes. Mes déductions ahurissantes m'ont donné un petit creux. Après tout, les génies ne vivent pas que d'intelligence et d'eau fraîche...

9

P. P. fait du camping

Il était presque vingt heures lorsque, convenablement restaurés, nous prîmes la route d'Amboise.

Le soir commençait à tomber. Un vent d'orage soufflait, accumulant dans le ciel de gros nuages menaçants. J'étais heureuse. Il y avait quelque chose de grisant à rouler ainsi l'un derrière l'autre dans le crépuscule, une sensation de grands espaces et de liberté qui me faisait battre le cœur.

Pierre-Paul avançait en tête, campé sur sa Vespa comme sur un trône. Ma vieille Mobylette pétaradait gaiement, et Rémi, dans les côtes, s'accrochait à mon porte-bagages pour éviter de pédaler. Par chance, la route était à peu près plate et nous nous étions réparti ses bagages pour lui épargner trop d'efforts.

– J'espère que tu ne vas pas mettre ce machin sur la tête, avait prévenu Pierre-Paul en le voyant sortir de son sac une sorte de casque constitué de boudins en caoutchouc.

– T'occupe, P. P. Du matériel de professionnel : c'était à mon oncle Firmin quand il faisait de la poursuite sur piste.

– Ridicule ! On dirait que tu es sponsorisé par une charcuterie.

Ce n'était pas très gentil de la part de Pierre-Paul. Il avait son casque intégral, moi un modèle très élégant en forme de bombe de cavalière. Rémi vit seul avec sa mère et, sans l'oncle Firmin, jamais il n'aurait eu les moyens de partir avec nous.

Nous avions à peine fait une dizaine de kilomètres quand les premières gouttes se mirent à tomber. Une petite ondée d'abord, plutôt rafraîchissante après la chaleur de la journée, puis un véritable orage. On n'y voyait pas à deux mètres devant nous.

Le temps de s'arrêter pour sortir nos K-Way, on était trempés comme des soupes.

– Cherchons un coin abrité et installons-nous pour la nuit, proposa Rémi.

La pluie faisait un raffut de tous les diables et il était obligé de hurler pour se faire entendre.

Un chemin s'ouvrait sur la droite. Abandonnant la route principale, nous nous engageâmes le long d'un petit bois aux arbres hauts et touffus. C'était l'endroit idéal : le feuillage nous protégerait de la

pluie et il fallait profiter du peu de lumière qui restait pour dresser notre campement.

Quand nous mîmes pied à terre, l'averse redoublait. Le vent mugissait entre les branches, le sous-bois était obscur. À la lueur d'une lampe-torche, nous installâmes ma petite tente individuelle avant de nous attaquer à celle de P. P. Il avait sorti de son sac à dos une immense toile, des dizaines de piquets métalliques et un gros rouleau de corde.

– Qu'est-ce que tu comptes faire de tout ça ? s'emporta Rémi. Dresser un chapiteau de cirque ?

La toile s'envolait au vent, arrachant les piquets. À peine avait-on tendu un côté que l'autre se détachait. À la fin, tout s'effondra, ensevelissant Rémi sous le toit gorgé d'eau.

– J'ai pris une tente familiale, balbutia P. P. d'un air lamentable. Le plus grand modèle, avec séjour et coin-repas. Le chef d'une expédition doit avoir ses aises et…

– Espèce de cornichon ! Ton truc est impossible à monter ! À cause de toi, il va falloir dormir à la belle étoile !

– Pas question, dis-je. La mienne est toute petite mais, en nous serrant bien, nous devrions loger à trois.

Ils ne se firent pas prier. L'un après l'autre, dans l'obscurité, nous nous faufilâmes à l'intérieur, nous contorsionnant pour entrer dans nos sacs de couchage.

– Ouille ! Aïe ! Pousse-toi un peu, P. P., j'ai ton genou dans l'estomac.

– Ah ! Qu'est-ce que c'est que ça ? Une bête, un monstre velu !

– Idiot, ce n'est que ma main.

On était tassés comme des sardines en boîte mais, au moins, on dormirait au sec. Ma petite tente résistait bien au vent, la pluie tambourinait sur la toile imperméable. Je dois faire un aveu : je n'aurais pas aimé être seule sous cet orage. Non que je sois trouillarde. J'ai seulement peur des bestioles et des forêts la nuit. Jamais je ne l'aurais dit à mes compagnons : s'il y a bien quelque chose que je déteste, c'est le camping. Mais l'aventure était à ce prix, et leur présence à mes côtés me rassurait.

– P. P., si tu enlèves une seule de tes chaussures, tu es un homme mort, murmura Rémi.

La journée nous avait brisés. Mes paupières étaient lourdes, mon sac de couchage délicieusement douillet. Je sombrai dans le sommeil.

(10)

Les inconnus du manoir

Quand j'ouvris les yeux, il faisait jour. Des oiseaux gazouillaient dans les arbres, un beau soleil chauffait déjà le toit de la tente.

Je m'étirai et glissai la tête par l'ouverture.

– Bonjour, Rémi. Bien dormi?

Je me sentais gaie, je ne sais pourquoi, déjà prête pour une deuxième journée d'aventure. En réponse, j'eus droit à une sorte d'aboiement.

– Très mal. Déteste dormir sur de la caillasse, moi. En plus, ce fichu feu ne veut pas prendre.

Accroupi près d'un petit tas de bois, il soufflait comme un perdu, les cheveux en bataille et son air des mauvais jours.

J'enfilai mes chaussures et sortis.

– Laisse, dis-je. J'ai fait un an chez les jeannettes. Ton bois est humide, voilà tout. Quelques brindilles sèches, une allumette et le tour sera joué.

Trois minutes plus tard, un bon feu pétillait au milieu d'un cercle de pierres plates.

– Et voilà, triomphai-je. Ça joue aux cow-boys et ça ne sait même pas faire un feu.

Rémi haussa les épaules, un brin vexé quand même. Comme je me sentais d'humeur assez peste :

– Et Pierre-Paul ? ajoutai-je. Il est parti tuer un bison pour le petit déjeuner ?

– Sais pas, maugréa Rémi. Moi, je me fais chauffer mon chocolat sans l'attendre. Déteste avoir l'estomac vide le matin.

Décidément, ce garçon n'avait aucun humour. Quand P. P. nous rejoignit, nous déjeunions en silence d'un bol de chocolat et d'un morceau de pain rassis. Je n'avais jamais mieux mangé de toute ma vie !

– Impossible de trouver un point d'eau, marmonna P. P. Je ne peux pas commencer la journée sans me laver les dents.

– Quels vieux garçons vous faites! Moi, j'ai merveilleusement dormi et je raffole de la vie sauvage.

– En revanche, j'ai trouvé autre chose, continua P. P. en déballant une barre de nougat, un pot de Nutella et des abricots secs. Sans le savoir, hier soir, nous sommes entrés dans une propriété privée. Ce petit bois fait partie d'un parc. J'ai aperçu une grosse demeure qui, par chance, paraît inhabitée.

– Une maison abandonnée? Chic! m'écriai-je. Allons la visiter.

– Tu n'y penses pas? s'insurgea P. P. Qu'on nous surprenne et crac, un coup de fusil! Je n'ai pas le droit de priver le monde de ma précieuse personne par des imprudences inconsidérées.

– Tu n'es pas chiche, c'est tout, m'entêtai-je. Moi, j'y vais.

– Après tout, pourquoi pas? fit Rémi. Tu as dit toi-même qu'elle paraissait inhabitée. Qu'est-ce qu'on risque?

– Et la chasse au trésor? Nous allons prendre un retard peut-être fatal.

– Allons, dis-je, trêve de sottises. Qui m'aime me suive.

Le temps de ranger nos gamelles, de les enfermer

dans la tente et nous traversions le parc. P. P. avait fourré sa brosse à dents dans sa poche, au cas où il trouverait une salle de bains. Ce dernier détail, plus la peur de rester seul, avait achevé de le décider.

« Domaine de Mortemare. Propriété privée. Défense d'entrer », disait une pancarte. Derrière, dressé sur un tertre, se tenait le manoir de Mortemare.

C'était une imposante bâtisse à toit d'ardoise, avec une terrasse de gravier rose et des massifs broussailleux encadrant une double porte-fenêtre aux volets clos. Un grand cèdre ombrageait la façade, et des chaises de jardin empilées les unes sur les autres indiquaient que l'endroit était inhabité depuis peu.

J'ai toujours adoré entrer dans des lieux interdits. Si j'avais été la femme de Barbe-Bleue, j'aurais certainement fait comme elle. Tant pis pour les conséquences… Ce n'est pas tous les jours, après tout, qu'on a l'occasion de visiter une maison abandonnée.

– Et si on nous surprend ? bredouilla courageusement P. P.

– Nous n'aurons qu'à dire que nous sommes perdus.

Nous contournâmes le bâtiment, essayant toutes les portes. Enfin, l'une d'entre elles céda. Un coup d'œil à l'intérieur et nous entrâmes.

C'était une sorte de cellier au sol sablonneux,

encombré d'outils de jardinage et de casiers à bouteilles. Quelques marches, une autre porte qui s'ouvrit aussi facilement que la première : cette fois, nous étions dans la maison.

– Mince ! lança Rémi avec un petit sifflement d'admiration. Quelle baraque !

On aurait facilement logé une piste de danse rien que dans l'entrée. Un escalier à volutes montait vers l'étage, sous un plafond si haut qu'il se perdait dans l'obscurité. De chaque côté s'ouvraient des salons, plus immenses les uns que les autres, avec des lustres poussiéreux, des fauteuils recouverts de housses qui ressemblaient à de grands fantômes assis.

– Qu'est-ce que c'est que ce bruit ? balbutia P. P. On dirait le tic-tac d'une machine infernale... Je suis sûr que la maison est piégée.

– Idiot ! Ce sont tes dents qui s'entrechoquent, ricana Rémi.

Soudain, ce fut l'affolement : une voiture remontait l'allée de gravier, des portes claquaient.

– Les propriétaires !

Déjà, une clef fourrageait dans la serrure de l'entrée, nous coupant toute sortie. Nous étions pris au piège.

– Pas encore, lança Rémi. Vite, par là ! C'est notre dernière chance.

Ouvrant une porte au hasard, il nous poussa à l'intérieur, refermant à l'instant même où la lumière jaillissait dans le salon.

Sans le vouloir, nous venions de nous enfermer dans une penderie si étroite que l'on pouvait à peine y respirer.

– J'étouffe! gémit P.P. Je ne veux pas finir conservé dans la naphtaline comme un vieux chapeau. Laissez-moi sortir!

Un coup de coude le fit taire. Malgré l'épaisseur de la porte, on devinait des voix.

– Un endroit idéal, Bertie, disait la première. Isolé, discret, magnifiquement placé… Qui songerait à s'intéresser à un manoir abandonné?

Un craquement de fauteuil lui répondit. Son interlocuteur venait de s'asseoir.

– Dépose les affaires et filons, dit-il. Nous avons encore beaucoup de travail.

– J'espère au moins que tu ne t'es pas trompé, reprit l'autre.

– Tu peux faire confiance à ce vieux Bertie… Ah! ah! quand je pense à tous ces imbéciles lancés à la recherche de la salamandre… S'ils savaient!

Il y eut un nouveau craquement, des pas ébranlèrent le parquet, puis la porte claqua. Quelques instants plus tard, le ronflement d'une voiture se fit entendre. Les graviers crissèrent, puis le silence retomba.

Rémi ouvrit la porte avec précaution. Personne. Nous nous extirpâmes péniblement du placard, respirant à pleins poumons. Nous étions sauvés. Il était temps : une minute de plus et j'avais les poumons qui explosaient.

(11)

Un mauvais
pressentiment

Nous ne fûmes pas longs à déguerpir.

Le temps de rejoindre notre campement, de démonter la tente et d'enfourcher nos engins, et nous filions déjà sur la route.

– Jamais plus je n'écouterai les idées saugrenues de la gent féminine! glapit P. P. quand nous eûmes mis entre nous et le manoir de Mortemare une distance suffisante. Moi, Pierre-Paul Louis de Culbert, manquer d'être arrêté comme un vulgaire cambrioleur!

– Par chance, notre campement était bien caché. Je ne crois pas qu'ils nous aient vus, soupira Rémi. Nous l'avons échappé belle.

– Attendez, dis-je, pas trop fière de moi. D'accord, c'était très imprudent. Mais l'un des deux hommes a bien parlé de la salamandre, non?

– Elle a raison, P. P., opina Rémi. Sans le vouloir, nous avons peut-être mis le doigt sur quelque chose d'important.

Nous nous étions arrêtés sur la place d'un petit village. Une fontaine coulait au milieu et P. P. sortit sa trousse de toilette.

– Qu'est-ce que tu fais ?

– Pardi ! Je me lave les dents. Je n'ai pas fait tous ces kilomètres pour périr victime d'une carie géante.

– Je me demande qui pouvaient bien être ces deux hommes, dis-je pensivement. Des chasseurs de trésor, comme nous ? Rappelez-vous ce qu'ils disaient.

– De toute façon, ça ne nous avance guère. Nous n'avons même pas vu leur visage. L'un se faisait appeler Bertie. Quant à leur voiture, je dirais, au bruit, qu'il s'agit d'une Mercedes. Un vieux modèle. Mon oncle Firmin a la même. C'est un peu maigre comme information.

– En tout cas, che ne me laicherai pas traiter d'im-béchile par des inconnus, crachota P. P., la bouche pleine de dentrifice. Filons à Amboiche, et plus vite que cha !

Pour ma part, j'avais de mauvais pressenti-ments. « Ces imbéciles… S'ils savaient ! » avait dit l'homme. Qu'aurions-nous dû savoir ? Certes, nous n'étions pas les seuls à chercher la Salamandre d'Or de Roberto Bolognese. Les inconnus de Mortemare l'avaient-ils trouvée avant nous ?

J'expédiai une carte postale à M. Coruscant pour l'informer de nos progrès, puis nous reprîmes la route jusqu'à Amboise, sans incidents cette fois.

12

Fausse piste

Il était presque midi lorsque nous arrivâmes en vue du château.

C'était le premier des châteaux de la Loire que nous visitions, et je dois dire que j'en eus le souffle coupé.

Imaginez une grosse forteresse dominant la ville, toute hérissée de fenêtres pointues et flanquée de deux tours énormes, comme une salière et une poivrière sur un présentoir à vinaigrette. Tout autour, des fortifications, un chemin de garde du haut duquel on apercevait les eaux vertes de la Loire et des vignobles ondulant à perte de vue.

Par chance, j'avais emporté mon petit appareil photo et je pris Pierre-Paul, posant glorieusement devant ce superbe panorama, tandis qu'en arrière-plan Rémi se battait avec le cadenas de son antivol.

– Quelquefois, remarqua P. P., je me dis que j'aurais mieux fait d'être roi de France au lieu de gâcher mon génie dans une classe de quatrième.

– C'est vrai que c'est dommage, acquiesça Rémi. Ça nous aurait donné une bonne raison pour te couper la tête.

– Sans rire, dit P. P., vous ne trouvez pas que Pierre-Paul Ier sonne plutôt bien ?

Rémi s'était chargé de laisser nos bagages au vestiaire. Tandis que nous faisions la queue pour acheter nos billets, je sentis tout à coup qu'on me pinçait le bras.

– L'homme du train ! souffla P. P. dans mon oreille. Là, près de la porte !

J'eus à peine le temps d'apercevoir une silhouette de grande taille, le visage dissimulé par un béret et une longue écharpe violette, qui disparaissait parmi la foule des visiteurs.

– Tu es sûr que c'est lui ?

– La coïncidence serait trop grande : dans le train d'abord, à la tour Charlemagne et maintenant ici... Non, j'en suis certain : nous sommes suivis.

– Sans doute un de nos concurrents, suggérai-je. Il doit suivre les mêmes indices que nous, voilà tout.

Rémi nous rejoignit à cet instant et nous commençâmes la visite, sans plus apercevoir le mystérieux inconnu.

Le château avait été habité par Charles VIII, puis par François Ier. Ce dernier élevait des lions en liberté dans les fossés, nous expliqua le guide. Dans le logis du roi se donnaient de magnifiques bals masqués, des fêtes étourdissantes. On nous montra aussi un balcon où avaient été pendus les conjurés d'Amboise… Je n'étais plus très sûre que j'aurais aimé vivre à cette époque.

Quand la visite s'acheva, il fallut bien le reconnaître : nous avions fait chou blanc. Il n'y avait rien au château, pas le moindre nouvel indice à se mettre sous la dent.

– Merci, P.P., râla Rémi comme nous descendions dans les jardins. En tout cas, je te préviens : hors de question de se payer tous les châteaux de la Loire pour suivre tes déductions stupides. Cette fois, tu t'es bien mis le doigt dans l'œil.

Je n'y comprenais rien. Le deuxième indice semblait clair pourtant. P.P. s'était-il trompé en l'interprétant ?

– Regarde, poursuivit Rémi en montrant un buste de Léonard de Vinci qui se dressait dans le jardin. Un de tes collègues. Tu devrais lui demander conseil : entre génies, il ne refusera pas de t'aider…

Il ne croyait pas si bien dire. Sur le socle de la statue, il y avait un écriteau tout neuf, au coin orné d'une salamandre.

– Hourra ! hurla P. P. Un nouveau message !
Écoutez :

Ce que tu cherches trouveras
Dans mon logis que fit François.

Au même instant, je crus voir un béret dépasser
au-dessus de la haie. L'homme du train… Je me
jetai dans l'allée : personne. C'était à n'y rien comprendre. Avais-je rêvé ?

– Il nous épiait, assurai-je. J'en suis certaine.

– Tout s'éclaire, poursuivit P. P., surexcité, en brandissant le guide de M. Coruscant. Le troisième
indice se trouve bien à Amboise, mais pas au château ! Figurez-vous que Léonard de Vinci a fini
ses jours ici, dans un petit manoir offert par François Ier. C'est là qu'il faut chercher.

Nous détalâmes sans perdre une minute. Si
l'homme du train était bien dans les parages, nous
lui avions livré sans le vouloir la clef du troisième
indice. Il fallait arriver avant lui.

⑬
Léonard de Vinci
à la rescousse

Une fois de plus, le guide de M. Coruscant s'avé-rait précieux. Le Clos-Lucé est un petit manoir Renaissance, à cinq cents mètres à peine du châ-teau, où Léonard de Vinci, le célèbre peintre et inventeur italien, acheva ses jours en 1519.

« Visites tous les jours », assurait notre guide. Pour-tant, nous jouions de malchance. Quand nous y arrivâmes, soufflant et suant d'avoir couru, la grille d'entrée était fermée d'un gros cadenas.

« En raison des orages de la nuit passée, le musée est fermé jusqu'à nouvel ordre pour réparations », disait le panonceau cloué sur le portail.

C'était la catastrophe.

– Pas d'affolement, dit P. P. sans se démonter. Si le musée est fermé au public, personne ne pourra y entrer avant nous, pas même l'homme au béret.

– Tu oublies que nous ne sommes peut-être pas les premiers, dis-je avec accablement. Et puis, je n'ai plus que cinq jours. Dieu sait combien de temps prendront les réparations !

« Une semaine », avaient dit mes parents. Cela faisait déjà deux jours que nous étions sur la route. Jamais nous ne pourrions trouver la Salamandre d'Or dans le peu de temps qui restait.

– Elle a raison, intervint Rémi. On ne peut pas attendre. Il faut entrer au Clos-Lucé par tous les moyens.

C'était plus facile à dire qu'à faire. Comment franchir la grille, déjouer la vigilance des ouvriers qu'on voyait s'affairer dans la demeure ?

– Le souterrain ! s'exclama P. P. Attendons la nuit et empruntons le souterrain ! On prétend, d'après le guide, que François Ier avait fait construire une galerie secrète pour rejoindre son ami Léonard depuis le château. Laissons-nous enfermer dans ses appartements, trouvons l'entrée du souterrain et il nous conduira tout droit au Clos-Lucé.

P. P. Cul-Vert est le plus grand poltron que la terre ait jamais porté. Nous le regardâmes avec ébahissement. Lui, se risquer à la nuit tombante dans un souterrain ? Décidément, ces vacances nous réservaient bien des surprises.

– Moi, je resterai au campement, ajouta-t-il aussitôt, réalisant l'énormité de ce qu'il proposait. Il faut bien que quelqu'un garde nos gamelles.

– Pas question, trancha Rémi. Tous les trois ou personne. Après tout, c'est toi qui nous as embarqués dans cette galère. Ce serait trop facile...

– Bon, bon, dit P.P. Mais je vous préviens : s'il arrive quelque chose, vous aurez ma mort sur la conscience.

La dernière visite du château commençait à dix-neuf heures. Il nous restait un long après-midi à tuer. Nous trouvâmes un petit coin abrité sur la berge où dresser notre tente. La rive descendait en pente douce, formant une sorte de plage naturelle. Tandis que les garçons se baignaient, j'écrivis une nouvelle carte à M. Coruscant, l'informant de nos dernières découvertes et de nos projets pour la nuit.

Si seulement il avait pu être là !

L'eau était verte, les garçons s'éclaboussaient en poussant des cris de Sioux. C'était l'occasion rêvée pour étrenner mon nouveau maillot. Je l'enfilai sous la tente et me hâtai de les rejoindre.

(14)

Dans le souterrain

– P. P., souffla Rémi, j'espère que tu ne t'es pas trompé.

Au crépuscule, le château d'Amboise était sinistre. La lumière filtrant par les carreaux teintés formait sur le dallage des losanges couleur sang, et je ne pus m'empêcher de penser aux conjurés qu'on avait pendus au balcon en guise de représailles. Que nous ferait-on si on nous découvrait ?

Mêlés à un groupe de touristes allemands, nous dûmes subir à nouveau les explications du matin, en langue étrangère cette fois. Heureusement, le guide semblait pressé de finir sa journée et il ne fit pas attention à nous quand nous nous laissâmes distancer dans le logis du roi.

Nous entendîmes les pas décroître dans le lointain, des portes se fermer. Cette fois, nous étions seuls, perdus dans le château désert.

– Au travail, murmurai-je, réprimant le frisson qui me parcourait l'échine. Cherchons ce fichu souterrain et finissons-en.

La pièce où nous nous trouvions avait été autrefois la chambre du roi. De là, il filait en cachette retrouver le vieux peintre. Mais comment ? Après tout, ce souterrain n'était peut-être qu'une légende. L'idée de passer la nuit dans ces salles glaciales me donnait la chair de poule.

Déjà, les garçons furetaient dans tous les coins. Je me sentais inutile, balayant bêtement les meubles de ma lampe-torche comme s'ils avaient été des bêtes tapies dans l'ombre et prêtes à se jeter sur moi.

Soudain, je sursautai.

– Écoutez ! Quelqu'un frappe sur la cloison !

– Ce n'est que moi, dit P.P. avec agacement. Je sonde les murs.

Armé d'une tige métallique, il fit le tour de la chambre, l'oreille collée à la pierre comme s'il auscultait un malade.

– Par ici ! s'exclama-t-il enfin. J'ai l'impression que ça sonne creux !

Unissant nos efforts, nous l'aidâmes à déplacer le lourd lit à baldaquin qui occupait le mur du fond. Il devait bien peser des tonnes. Nous avions beau nous arc-bouter, il bougeait millimètre par millimètre. Enfin, dans une dernière poussée, nous parvînmes à le faire glisser. Derrière, une petite porte se dessinait dans le creux de la pierre.

– Le passage secret, murmura Rémi.

Je faillis en tomber de saisissement : nous venions de mettre au jour le souterrain qu'empruntait chaque nuit François Ier !

Déjà, Rémi s'acharnait sur la porte. Par chance, le bois était pourri et elle céda en grinçant, libérant une bouffée de gaz fétide.

– Ça ne sent pas la rose, là-dedans, remarqua Rémi en promenant sa torche dans l'ouverture béante.

– Sûrement l'humidité, expliqua P.P. N'oublie pas que le château est bâti au-dessus de la Loire. Le temps de revêtir mon équipement spécial et je vous suis.

Nous le vîmes fouiller dans son sac à dos, en tirer un objet rond de la taille approximative d'une citrouille et flanqué d'un œil unique comme un masque de cyclope. Il s'en coiffa, projetant aussitôt devant lui une lumière aveuglante.

– Ma dernière invention, expliqua-t-il. Après l'échec du sac de couchage intégral, j'ai eu l'idée de ce petit gadget : une simple lampe-torche fixée sur mon casque de scooter… Idéal pour avoir les mains libres, non ?

– Idéal surtout pour passer en premier, corrigea Rémi en s'effaçant. Tu ressembles au phare de Douarnenez. La seule idée de t'avoir derrière moi me donne froid dans le dos.

L'un après l'autre, nous nous engageâmes dans le boyau. Le souterrain était une sorte de tunnel voûté, aux murs noirs et suintants, couverts de moisissure et de crottes de chauves-souris. Par chance, l'invention de P. P. éclairait comme en plein jour. Par endroits, le sol spongieux était gorgé d'eau, nous obligeant à patauger.

– Nous devons être au niveau du fleuve, cria P. P. Pourvu que le reste ne soit pas inondé !

Sa voix résonnait lugubrement. J'avais entendu parler des crues brutales de la Loire. Il fallait prier pour que les violents orages de la nuit passée n'aient pas grossi les eaux. J'aurais détesté me laisser surprendre au fond de ce conduit puant.

Au bout d'un long couloir, le sol se fit plus sec. Nous devions remonter.

– J'aurais dû prendre ma montre à altimètre, dit P. P. Je serais curieux de savoir à quelle profondeur nous sommes.

– Grouille, P. P., fulmina Rémi. Encore une minute là-dessous et nous aurons tous les rats de la région sur les talons !

Il n'en fallait pas plus pour convaincre P. P. Avec un geignement terrorisé, il fila à toutes jambes, nous laissant dans le noir. Puis il y eut un grand clong ! un bruit de casseroles entrechoquées : P. P. s'était aplati tête la première contre la porte qui barrait l'extrémité du souterrain.

– Ça t'apprendra à nous abandonner, dit Rémi en l'aidant à rassembler le contenu de son sac.

Je l'ai déjà dit, P. P. est plutôt rondouillard. Par bonheur, son casque avait amorti le choc mais la porte, elle, n'avait pas résisté : on aurait dit qu'un éléphant venait de l'enfoncer. La serrure avait volé en éclats, révélant un vaste sous-sol aux poutres noircies.

Nous avions réussi. C'était le Clos-Lucé.

Pétrifiés, nous restâmes sur le seuil : devant nous se dressaient d'étranges machines, projetant sur les murs des ombres gigantesques qui bougeaient dans la lumière de nos lampes.

– Une salle de torture, bredouilla Rémi. Filons vite d'ici !

Pierre-Paul courait en tous sens, la lampe frontale pendouillant lamentablement au sommet de son casque.

– Fantastique, les amis ! Les inventions de Léonard de Vinci ! Des dizaines de maquettes en bois !

Au-dessus de nos têtes était suspendue une sorte de chauve-souris, le modèle du premier avion conçu par Léonard. Plus loin, la maquette d'un pont tournant, d'un hélicoptère à hélice, une énorme toupie hérissée de canons qui avait été l'ancêtre du tank, d'autres machines encore, plus fabuleuses les unes que les autres, réalisées d'après les plans du savant italien.

J'en avais le souffle coupé. C'était à la fois merveilleux et un peu inquiétant, comme si nous avions pénétré dans l'atelier d'un inventeur de science-fiction, encombré de prototypes étranges et de plans compliqués. On se serait presque attendus à le voir surgir en robe de chambre, un chapeau de sorcier sur la tête, avec la longue barbe en pointe et les sourcils touffus de l'enchanteur Merlin.

Pierre-Paul, lui, était aux anges. Il allait d'une machine à l'autre, touchant à tout avec de petits cris d'admiration.

– Regardez ! Le premier climatiseur hydraulique ! Quand je pense que Léonard vivait au début du XVIe siècle ! Je dois admettre qu'il m'arrivait presque à la cheville. Mon prototype de sac de couchage intégral ferait un effet bœuf ici...

– Sans vouloir te presser, P.P., s'impatienta Rémi, je n'ai pas fait tout ce chemin pour bêler devant de vieux machins poussiéreux. Si nous cherchions le troisième indice ? Dans ce capharnaüm, ça risque de prendre un certain temps.

– Un capharnaüm ? s'étrangla P.P. Tu oses parler de capharnaüm devant ce témoignage bouleversant du génie humain ?

Il en bégayait d'indignation.

– Espèce de crétin sidéral ! Homoncule ! Invertébré préhistorique !

– Si vous cessiez de vous chamailler, intervins-je, je pourrais peut-être réfléchir. Le troisième indice doit être dissimulé dans une des maquettes. Mais laquelle ? D'après ce que nous savons, la salamandre est une sorte de dragon qui crache du feu...

– Bien sûr ! coupa Rémi. Et le tank, lui aussi, crache du feu !

Nous nous précipitâmes vers la grosse toupie de bois. C'était une machine conique, de la forme approximative d'un chapeau chinois, et percée à la base d'une rangée de trous d'où pointaient des canons. D'après les plans, l'ensemble pivotait sur son axe, tiraillant de tous côtés à la manière d'une tourelle de char.

J'avais vu juste. À la place d'un des canons, ma torche éclaira un mince rouleau de papier. Fébrilement, je le dépliai : c'était le troisième indice.

– Un nouveau poème ! m'écriai-je. Vite, il faut le recopier.

Au château de Blois te rendras
Dans le cabinet des Poisons.
La pédale tu pousseras
Et les deux portes s'ouvriront.

Pas question d'essayer de résoudre cette nouvelle énigme sur place. Nous remîmes soigneusement le message dans sa cachette et cherchâmes une sortie.

Par bonheur, les ouvriers qui travaillaient ici dans la journée avaient laissé une fenêtre ouverte. Grimpant sur un sac de plâtre, nous sautâmes dans le jardin. Restait à franchir le portail. Moi, je fais de la danse classique, je suis agile tel un chat. Mais il fallut hisser P.P., le tirer de force par-dessus la grille où il manqua de rester suspendu à la façon d'un gros jambon.

Vingt minutes plus tard, nous étions sous la tente. Les aventures de la journée nous avaient épuisés. Nous nous coulâmes dans nos duvets sans demander notre reste.

– Oui, mon roi, marmonna soudain P.P. C'est moi, le génial de Culbert, ton inventeur préféré…

– Le tunnel ! Les rats ! Vite, sortir d'ici avant que les eaux montent ! lui répondit Rémi en se battant avec son duvet.

Ils rêvaient déjà. Je m'endormis à mon tour, rêvant que j'ouvrais le bal au bras du roi dans une superbe robe cousue de perles et de diamants...

(15)

Le cabinet des Poisons

« Cher Monsieur Coruscant,

Je vous écris de Blois où nous sommes arrivés hier. Malheureusement, je n'ai pas de bonnes nouvelles à vous apprendre. La chasse au trésor paraît finie pour nous. Une journée bêtement perdue, et voilà, nous pouvons dire adieu à la Salamandre d'Or...

Mais commençons par le commencement.

Avant-hier, donc, nous avons pris la route de Blois. Le troisième indice que nous avions trouvé au Clos-Lucé ne présentait guère de difficulté. Il faisait un temps superbe et, après notre nuit mouvementée dans le souterrain, le moral des troupes était au beau fixe.

Quelques ablutions rapides, un copieux petit déjeuner, et nous partîmes vers onze heures. Nous avions largement le temps : comme vous le savez, bien sûr, Amboise et Blois sont à peine distants d'une trentaine de kilomètres. Nos montures pétaradaient, Rémi pédalait ferme, l'air sentait bon l'herbe chaude et l'aubépine. Nous avions au moins une journée d'avance sur l'homme du train et, pour ma part, j'aurais volontiers lézardé sur les bords de la Loire, à admirer les îles de sable et les petites criques d'eau verte que nous longions.

Soudain, la catastrophe : le moteur de Pierre-Paul s'est mis à toussoter, puis s'est éteint dans un dernier hoquet. Impossible de le remettre en marche.

Rémi s'y connaît un peu en mécanique, mais la panne dépassait ses compétences. Nous avons dû pousser la Vespa jusqu'au village le plus proche, à quelques kilomètres de là. Le temps d'y arriver, il était déjà midi passé : l'unique garage du coin était fermé.

Il a fallu attendre trois heures de l'après-midi pour qu'un mécanicien examine enfin la Vespa.

– Je n'y comprends rien, a-t-il dit en essuyant ses mains tachées d'huile. Le moteur est gorgé d'une sorte de mélasse : il va falloir tout démonter pour nettoyer. Revenez demain matin, la Vespa sera prête.

– C'est un sabotage, a dit Rémi. Sûrement l'homme du train : quelques sucres glissés dans le réservoir à essence et ton moteur fabrique du caramel.

C'était vraiment un sale coup. Moi qui déteste la tricherie, j'aurais bien aimé tenir l'homme du train. Je ne suis pas méchante, mais je vous jure que je lui aurais fait passer le goût du sucre !

— Tout est ma faute, a gémi Pierre-Paul, étrangement silencieux jusque-là. Ce n'est pas un sabotage : j'ai préparé moi-même un petit mélange de mon invention, un carburant pour les fusées que je voulais tester.

Je crois que Rémi aurait pu l'assommer sur place.

— Un mélange spécial ? Mais je vais te le faire boire, moi, ton carburant à fusées ! Tu te rends compte du temps que tes âneries nous font perdre ?

Mais il fallut bien nous résigner à attendre. Nous avons dû dormir dans un camping municipal, envahi par les moustiques et des Allemands en mobile home qui ont bu de la bière toute la nuit.

Au matin, Rémi n'était pas à prendre avec des pincettes. Dès dix heures, nous étions au garage.

— Voilà, c'est réparé, a dit le mécanicien. Mais il faudra ménager le moteur, sinon je ne garantis rien.

Nous sommes repartis, au ralenti cette fois. Par moments, la Vespa avait des renvois, crachant de gros nuages de fumée noire assez inquiétants.

Par bonheur, nous arrivâmes à Blois sans plus d'encombre.

— Allons, dis-je devant l'air piteux de P. P. Après

tout, nous avions de l'avance. Avec un peu de chance, le Clos-Lucé est toujours fermé pour travaux. L'homme du train n'est peut-être pas encore en possession du troisième indice.

Pour une fois, le sens du message était limpide : l'indice suivant était dissimulé dans le château de Blois. C'est une grosse caserne féodale, disposée autour d'une cour carrée, à laquelle on accède par un magnifique escalier à balcons.

Par chance, les visites étaient libres. Suivant toujours les indications du message, nous nous mîmes en quête du cabinet des Poisons. C'est ainsi qu'on appelle une pièce où vécut Marie de Médicis, la femme d'Henri IV. Les murs étaient recouverts de panneaux de bois selon la mode de l'époque. La reine, d'après notre guide, avait fait aménager derrière ces lambris une armoire secrète dans laquelle elle cachait de petites fioles de poison, destinées sans doute à se débarrasser d'ennemis encombrants.

C'est le genre de détails dont je raffole en cours d'histoire. Mais, pour la première fois, j'allais le voir de mes yeux. Il suffisait de trouver la pédale qui ouvrait la cachette, et nous découvririons les fourberies de la reine. Rien que de penser qu'elle aurait pu empoisonner la poule au pot d'Henri IV me donnait de délicieux frissons dans la colonne vertébrale.

Malheureusement, il y avait trop de monde dans la salle pour agir aussitôt. Inutile aussi de renseigner des concurrents éventuels. P. P. fit mine de s'absorber dans son guide avec des airs de connaisseur tandis que Rémi et moi admirions les tableaux.

– Regarde, me dit Rémi en pouffant. Tu ne trouves pas qu'on dirait P. P. ?

Le portrait qu'il me montrait représentait un gentilhomme du XVIe siècle, vêtu d'une robe à franges d'hermine et de bas qui plissaient aux genoux. À ce détail près, c'était le portrait craché de P. P.

– Ladislas-Adhémar de Culbert, mon noble ancêtre, dit fièrement Pierre-Paul. Il a tout à fait l'air sournois de ma sœur Rose-Lise.

Nous éclatâmes de rire : imaginer P. P. en armure, brandissant une épée trop lourde pour lui, sur un vieux canasson, avait quelque chose de réjouissant.

– Ça explique mes notes canons en histoire, expliqua P. P. Vous autres, roturiers, vous ne pouvez pas comprendre. Pour nous, l'histoire de France n'est qu'une petite affaire de famille.

Décidément, P. P. ne se mouche pas avec le dos de la cuillère. Mes ancêtres à moi étaient d'humbles tisserands mais, au moins, ils n'avaient pas d'empoisonnements sur la conscience.

– Puisque tu es chez toi, P. P., intervint Rémi, au boulot. Trouvons cette pédale secrète.

La salle s'était vidée peu à peu, nous laissant le champ libre. Nous tâtâmes les plinthes méticuleusement. À la fin, Rémi poussa un cri de joie. La pédale se trouvait cachée dans l'interstice entre deux lattes de bois, presque invisible.

– À toi l'honneur, me dit-il galamment.

– Attention, prévint P. P. Le mécanisme est peut-être piégé.

Je haussai les épaules. Pourtant, mon cœur se mit à battre quand j'enfonçai la pédale.

Il y eut un petit déclic, un grincement. Puis l'un des panneaux de bois s'ouvrit, révélant une armoire truffée de minuscules alvéoles. C'était le cabinet des Poisons.

– Il faudra absolument que je me bricole un garde-manger comme ça à l'internat, murmura P. P.

Sidérés, nous nous approchâmes. Seulement, nous eûmes beau fouiller une à une toutes les caches, elles étaient vides. Quelqu'un était passé avant nous et avait emporté le quatrième indice.

– Refaits ! s'exclama Rémi. L'homme du train a dû entrer au Clos-Lucé hier et filer jusqu'ici.

Méthodiquement, nous explorâmes chaque recoin de la cachette, sans autre résultat que de nous enduire les mains d'une couche de poussière. Le quatrième indice s'était bel et bien envolé.

– Bon sang, P.P., ton carburant à fusées nous coûte cher, murmura Rémi.

– Attendez, coupai-je. Je crois que j'ai trouvé quelque chose.

Un fragment de papier était resté coincé dans le gond de la porte. Je le dégageai. Dessus, il y avait l'effigie de la salamandre et deux mots : *"Nutrisco et"*. C'était tout ce qui restait du quatrième indice. La suite du message avait disparu avec notre adversaire indélicat.

Voilà. Maintenant, Monsieur Coruscant, vous savez tout.

Je me dépêche de terminer cette lettre devant la tente, à la lueur d'une lanterne. Nous avons trouvé un joli endroit pour camper, à quelques kilomètres de Blois, mais le cœur n'y est plus. Sans ce dernier indice, impossible de remonter jusqu'à la salamandre.

Le découragement a gagné notre équipe. C'est vraiment trop bête d'avoir fait tout ce chemin pour échouer ainsi. Que veut dire *"Nutrisco et"* ? Vous seul pourriez nous aider. Mais, quand cette lettre vous parviendra, l'aventure sera finie. Nous serons rentrés bredouilles.

Je n'ai plus qu'une chose à faire : profiter des

derniers jours qui me restent pour préparer cet exposé dont vous m'avez chargée. C'est une piètre consolation, je ne vous le cache pas.

Enfin… J'espère que, de votre côté, vous passez de bonnes vacances.

Mathilde Blondin »

(16)
Vacances à la ferme

Je dormais à moitié lorsque je sentis quelque chose me mordiller le pied.

J'ouvris un œil et poussai un hurlement : une vache avait passé la tête par l'ouverture de la tente et broutait tranquillement mon sac de couchage. Un instant, elle me regarda, mâchouillant d'un air stupide. Puis elle tourna les talons et s'éloigna au petit trot.

Péniblement, j'émergeai de la tente. Le soleil était déjà haut et me blessait les yeux. Quelle heure était-il donc ?

– Petit déjeuner dans cinq minutes, me lança P. P. en déposant dans l'herbe un lourd panier. Œufs au plat, saucisses grillées, jambon de pays, tartines et autres babioles aimablement fournies par nos hôtes.

– Et Rémi ? demandai-je en bâillant.

– Parti à la pêche. Il y a une petite mare derrière ce bouquet d'arbres.

La veille, nous avions dressé notre tente au milieu d'un champ, près d'une jolie ferme à volets bleus. L'idée de dormir à nouveau dans un camping municipal me donnait des boutons. Je déteste les caravanes, les touristes en short et les tables pliantes.

– Heureusement, j'ai encore quelques provisions pour compléter ce frugal repas, poursuivit P. P. en se frottant les mains. Une petite boîte de maquereaux au vin blanc, peut-être…

– Je me demande comment tu as le courage de manger. Moi, je ne pourrais pas avaler une miette.

Les événements de la veille me coupaient l'appétit : la panne de la Vespa, le cabinet des Poisons, notre déception en découvrant les caches vides. Nous avions été si près du but que je n'arrivais pas à me faire à l'idée de renoncer. Mais sans indice, que faire ? Où chercher ? Il fallait bien nous rendre à la raison : l'aventure tournait court. Nous n'avions plus qu'à rentrer chez nous, bredouilles et déconfits. Pour un peu, j'en aurais pleuré de rage.

– Il nous reste une chance minuscule, dit P. P. Le morceau de papier et mon exceptionnelle intelligence. Après tout, il a suffi d'un simple caillou à Champollion pour déchiffrer les hiéroglyphes égyptiens. Ne nous laissons pas abattre.

Et il mordit à pleines dents dans une tartine dégoulinant de miel.

Entre-temps, Rémi nous avait rejoints, la mine sombre.

– Ces poissons de la campagne sont de fieffés imbéciles, maugréa-t-il en jetant sa gaule dans l'herbe. Deux heures que je leur promène un ver de terre sous le nez... Vous voulez savoir quelque chose ? J'en ai soupé de la nature, des pique-niques et des bouses de vaches. J'ai envie de gaz carbonique et d'un bon hamburger !

– Pourquoi pas camper sur un parking de supermarché, aussi ? remarquai-je avec humeur.

L'ambiance tournait au vinaigre. J'attrapai mes affaires et allai me débarbouiller dans la cour de la ferme. L'eau qui coulait de la pompe était délicieusement glacée et me remit un peu les idées en place. P. P. avait raison : il nous restait une chance minuscule. À vrai dire, je n'y croyais pas vraiment, mais autant profiter au mieux de cette journée de vacances inespérées. Nous n'avions fait que courir depuis notre départ. Rien de tel que de ne rien faire pour voir le moral remonter en flèche.

Contrairement à Rémi, j'adore la campagne. Mon rêve serait d'élever des chevaux dans une région tranquille. J'aurais une maison pleine de chiens et de chats, je passerais mes journées à galoper dans

les champs, toute seule, sans deux vieux garçons casaniers qui ne cessent de se quereller.

Quand je revins, P. P. s'était enfermé dans la tente avec le guide de M. Coruscant.

– « *Nutrisco et...* », « *Nutrisco et...* » répétait-il. Allons, Pierre-Paul, du courage : ce ne sont pas deux misérables mots latins qui feront trébucher un athlète de la pensée !

Quand P. P. parle de lui à la troisième personne, comme Jules César, je pourrais le découper en rondelles. Rémi avait filé en ville sous prétexte de poster la lettre pour M. Coruscant. J'avais la paix, une longue journée tranquille devant moi.

Un peu désœuvrée, j'allai flâner dans les champs. Je passai un long moment au bord de la mare à regarder une famille de canards qui jouaient dans les roseaux. L'après-midi, j'aidai la fermière à nourrir les lapins. Les femelles avaient mis bas au printemps et d'adorables lapereaux se pressaient dans le clapier, poussant à travers le grillage leur petit museau rose. La cuisine de la ferme sentait la tarte aux prunes. Plus tard, j'aidai aussi à écosser les petits pois que la fermière avait cueillis dans le potager. C'était une brave femme à chignon, avec de gros mollets et des mains solides. J'étais bien. Je me rappelais les vacances d'autrefois, quand ma grand-mère était encore en vie et que nous faisions de la cuisine toutes les deux sur un gros poêle à bois.

– Il faut manger, ma fille, répétait la fermière. Tu es maigre comme un coucou. Si tu n'engraisses pas un peu, jamais tu ne trouveras un mari.

C'était bien le cadet de mes soucis. Quand je rejoignis Pierre-Paul, il dormait à poings fermés, le guide de M. Coruscant ouvert sur l'estomac.

– Bravo! Belle manière de réfléchir! dis-je en le secouant.

– Euh, ne te fie pas aux apparences, bredouilla-t-il. En fait, je ne dormais pas. C'est une vieille méthode de méditation tibétaine et…

– Une indigestion de saucisson, oui! Tu ronflais comme une marmotte.

Il se frotta les yeux avec accablement.

– Je sèche, Mathilde… Je sèche lamentablement. J'ai eu beau relire le guide en tous sens, impossible de rien trouver. Je suis déshonoré, humilié, battu à plate couture. Il ne me reste qu'une solution.

– Laquelle?

– Me faire hara-kiri avec l'ouvre-boîtes de mon canif.

Il avait un air si pitoyable que je ne pus m'empêcher d'éclater de rire.

J'allais répondre quand une série de coups de klaxon retentit, bientôt suivie du ronflement de ma petite Mobylette.

Rémi traversait la cour de la ferme, cornant joyeusement. Mais il n'était pas seul : derrière lui, assis en croupe sur la selle, il y avait M. Coruscant, coiffé du casque à boudins de l'oncle Firmin.

⑰
L'invité surprise

– Je vais tout vous expliquer, commença Rémi.

Nous étions assis autour d'un bon feu de camp, entourant notre invité surprise. Pour une fois, P. P. s'était dépassé : une délicieuse odeur de saucisses grillées montait dans le crépuscule et des pommes de terre achevaient de cuire doucement sous la cendre.

– De Culbert, vous êtes un vrai cordon-bleu, dit M. Coruscant. Je n'avais plus dîné à la belle étoile depuis mes fouilles en Mésopotamie, il y a bien longtemps.

– Un hasard miraculeux, expliqua Rémi. Donc, ce matin, j'arrive à Blois, bien décidé à faire quelques flippers. Je ne connais rien de mieux pour me calmer les nerfs. J'en trouve un dans un bar : en une heure, j'avais claqué tout mon argent de poche. J'étais lessivé. Je ressors, furieux, les nerfs en pelote, prêt à tuer quelqu'un. Et là, le coup de bol ! Devant moi, à deux cents mètres, devinez qui ? L'homme du train, le béret sur la tête et l'écharpe au vent !

Il ménagea une pause, tout fier de son effet.

– Mon sang ne fait qu'un tour… Il saute dans un taxi, moi j'enfourche la Mobylette et je le prends en filature. Cette fois, pas question de le laisser s'échapper !

– Bravo, Pharamon ! s'exclama M. Coruscant. Je reconnais bien là votre esprit d'initiative.

– C'était notre dernière chance, continua Rémi, rougissant sous le compliment. Heureusement, j'avais l'engin de Mathilde : à vélo, j'aurais sans doute été semé. Bref, on roule un moment, puis le taxi s'arrête devant la gare de Blois. L'homme du train en descend. Le temps qu'il règle la course, je gare la Mobylette et je le suis discrètement jusqu'au guichet. Là, je l'entends qui demande un billet de deuxième classe pour Azay-le-Rideau.

– Magnifique, dit P.P. Mais tu es sûr qu'il ne t'a pas repéré ?

– Qu'est-ce que tu crois ? Je regarde suffisamment de feuilletons à la télé pour savoir m'y prendre… Je lui collais littéralement aux talons. En tout cas, je ne sais pas qui est l'homme du train, mais je peux vous dire qu'il empeste le parfum !

– Le parfum ? répéta P.P. Curieux, en effet.

– Je ne savais plus quoi faire. Sans argent,

impossible de prendre un billet à mon tour. D'un autre côté, je ne pouvais pas le laisser filer. Il ne restait qu'une solution : monter en fraude, en espérant qu'il n'y aurait pas de contrôleur. C'est ce que je m'apprêtais à faire quand, débouchant sur le quai, je suis tombé nez à nez sur M. Coruscant...

– Je vous dois quelques explications à mon tour, intervint ce dernier. En recevant votre petite carte ce matin, je n'ai pas su résister à la tentation de vous rejoindre. J'ai sauté dans le premier train pour Blois, espérant que vous y seriez encore. Après tout, mon étude sur la monnaie romaine peut bien attendre quelques jours... Mais je crains bien d'avoir tout gâché : sans moi, Pharamon, vous n'auriez pas perdu l'homme du train.

– Nous le retrouverons facilement, dis-je. Azay-le-Rideau ne doit pas être une ville si grande que ça.

Rapidement, je racontai à M. Coruscant les événements des jours précédents : la découverte de la cache, dans le cabinet des Poisons, la disparition du quatrième indice, le bout de papier et les deux mots latins sur lesquels Pierre-Paul s'était penché.

– « *Nutrisco et...* », dites-vous ? répéta M. Coruscant. C'est peu, en effet. Laissez-moi réfléchir. Cela me rappelle quelques vieux souvenirs d'étudiant. Malheureusement, ma mémoire n'est plus ce qu'elle était.

Assis en tailleur devant le feu, une serviette nouée autour du cou, M. Coruscant ressemblait plus à un chasseur de fauves à la veillée qu'à un vieux professeur d'histoire-géo. Il portait son short de brousse, des chaussettes montantes, de gros godillots à passants métalliques, et je me demandais s'il avait emporté aussi son filet à papillons.

Soudain, il se frappa le front :

– « *Nutrisco et extinguo* » ! « Je m'en nourris et je l'éteins » ! Comment n'y ai-je pas pensé plus tôt ? C'est la devise de la salamandre !

Nous le regardâmes, ébahis.

– Mais oui ! La salamandre est un animal imaginaire, moitié lézard, moitié dragon, qui avait la réputation de vivre dans le feu. D'où sa devise : « Je m'en nourris et je l'éteins. » François Ier en a fait son emblème. Une rapide vérification dans le guide que je vous ai confié vous apprendra qu'il existe au château d'Azay-le-Rideau une salle dite « chambre de François Ier » dont la cheminée s'orne d'une magnifique salamandre ! C'est là qu'il faut chercher la dernière pièce du puzzle.

– Hourra pour M. Coruscant ! s'écria Rémi. Nous avons trouvé !

Et, sautant sur ses pieds, il m'entraîna dans une ronde joyeuse autour du feu, sous le regard attendri de M. Coruscant.

⑱
Les exploits
du professeur Coruscant

J'avoue que j'eus du mal à m'endormir ce soir-là. La nuit était claire, le ciel saupoudré d'étoiles. Des chiens se répondaient à travers la campagne, on entendait contre la tente un bruissement d'herbes froissées comme si des bêtes avaient rôdé tout près de nous.

Était-ce mon imagination survoltée ? Nous touchions au but et je me sentais dans l'état étrange des veilles de contrôle, excitée et inquiète tout à la fois. Dans mes rêves, une salamandre se promenait autour de notre tente, ronflant doucement et crachant des étincelles. À l'instant où elle passait la tête sous la toile, je poussai un cri et m'éveillai.

C'était le petit matin. Pierre-Paul n'avait pas les yeux en face des lunettes. Lui non plus n'avait pas bien dormi.

– Jamais je n'aurais dû reprendre des pommes de terre, murmura-t-il. J'ai l'estomac tout barbouillé. Rémi n'a cessé de me bourrer de coups de pied dans son sommeil en beuglant que j'étais l'homme du train. Pourquoi le monde est-il si cruel ?

Nous retrouvâmes M. Coruscant à la ferme pour un solide petit déjeuner. Il avait dormi dans une chambre, à l'étage, et préparé le plan de la journée.

– Voici Blois, dit-il en étalant une carte sur la table. Une fois restaurés, nous filons à marche forcée vers Azay-le-Rideau. Distance : soixante-quinze km. Temps estimé : trois heures.

– Trois heures ? Je ne suis pas coureur du Tour de France, moi ! protesta Rémi. La bécane de Philibert est un vieux tas de ferraille et...

– Tout est réglé, mon jeune ami, le rassura M. Coruscant. Nos hôtes ont l'extrême amabilité de mettre à notre disposition un engin motorisé. Vous n'aurez pas à pédaler. Le succès de l'opération dépendant de la rapidité de son exécution, nous laisserons ici toute l'intendance. Ne l'oubliez pas, notre adversaire a une bonne journée d'avance sur nous.

Avec ses cheveux en brosse et ses lunettes, M. Coruscant ressemblait à un général.

– Voilà l'engin, dit-il fièrement quand nous fûmes dans la cour. Mathilde, vous monterez avec moi.

– Là-dessus ? m'exclamai-je, incrédule. Mais ce machin date au moins de la guerre de 14 !

Les fermiers avaient sorti d'un hangar un vieux side-car militaire, couvert de poussière et de toiles d'araignée.

– Apprenez, jeune fille, qu'à vingt ans je traversais le Tibesti inférieur sur une machine de ce genre. Vous allez voir, j'ai quelques beaux restes.

Il fallut bien m'exécuter. Après avoir dit adieu à nos hôtes, je me pliai dans l'étroit habitacle, aussi à l'aise que si je m'étais glissée dans un cercueil roulant.

M. Coruscant mit les gaz, lâcha le frein, et nous partîmes d'un bond en zigzag, évitant de peu le prunier et une poule imprudente qui passait par là.

– Guidon un peu raide ! hurla M. Coruscant pour couvrir les rugissements du moteur. Mais rassurez-vous, je l'ai bien en main !

Nous dégagions une telle fumée que c'est à peine si j'apercevais la Vespa de P. P., portant Rémi en croupe, qui nous suivait à quelque distance.

Lunettes de motard sur le nez, les lanières de son casque claquant au vent, M. Coruscant semblait vouloir battre des records de vitesse. Cramponnée à la poignée, j'avais l'impression que la peau de mon visage se collait sur mon crâne. Nous sautions allè-grement les lignes blanches, prenant tous les virages

à gauche, regardant les voitures s'écarter devant nous comme par miracle, tandis que M. Coruscant pressait avec frénésie la poire en caoutchouc qui lui servait de klaxon.

Quand nous arrivâmes à Azay-le-Rideau, mes jambes ne me portaient plus. J'étais brisée, comme si je venais de passer la matinée dans l'essoreuse d'une machine à laver. Mais au moins, j'étais vivante.

– Pour tout vous avouer, dit M. Coruscant, les cheveux dressés sur la tête, je suis myope comme une taupe. Sans cela, nous aurions roulé plus vite. Il faudra vraiment un jour que je me décide à passer mon permis moto.

– Parce que vous n'avez pas le permis non plus ?

– Pour quoi faire ? La conduite de ces petites machines n'a plus de secrets pour moi.

Décidément, M. Coruscant était assez extraordinaire. Qui aurait pu imaginer, en le voyant sur son estrade, que notre prof d'histoire-géo conduisait des motos sans permis et avait traversé avant guerre des régions inexplorées ?

– Laissez-moi apprécier la situation, dit-il en examinant les cars de touristes qui se pressaient sur le parking. Je crains que l'heure ne soit mal choisie pour nos petites investigations. Trop de monde. Il faut changer nos plans.

– La vérité sort de votre bouche, ô mon vénéré maître, acquiesça P. P., toujours fayot. Le château doit être comble. Puis-je suggérer que nous attendions une heure plus propice ?

– Et l'homme du train ? intervint Rémi. Pas question de se laisser griller sur le fil une nouvelle fois !

– Justement. Prenons position dans ce charmant troquet : de là, nous pourrons surveiller les allées et venues suspectes devant quelques rafraîchissements. La patience, Pharamon, est le secret des grandes victoires… Attendons ce soir pour investir la place en toute tranquillité. D'ailleurs, cette course m'a donné soif. Que diriez-vous d'une bonne limonade ?

M. Coruscant avait sans doute raison. Je ne me voyais pas chercher la salamandre au milieu d'une telle foule. Quant à l'homme du train, nous ne pouvions le manquer s'il entrait au château.

Rongeant notre frein, nous nous résolûmes à attendre. La patience n'est pas mon fort, mais la salamandre était à ce prix. C'était bien la peine d'avoir manqué nous tuer vingt fois sur la route !

(19)

Piégés !

Ce fut le plus long après-midi de toute ma vie.

M. Coruscant avait mis cette attente à profit pour nous présenter le château. Il aurait fait une interro surprise que j'aurais été bien incapable de ressortir quoi que ce soit de son exposé, sinon que le bâtiment datait de la Renaissance, qu'il avait été construit par un certain Berthelot, un riche financier du XVIe siècle, et confisqué par François Ier...

Vers dix-huit heures, enfin, le flot des visiteurs s'éclaircit. Je n'avais plus d'ongles, les yeux me brûlaient à force de scruter la foule. L'homme du train ne s'était pas montré et je commençais à être inquiète. Et s'il était passé avant nous ?

– Jeunes gens, dit gravement M. Coruscant, l'heure H a sonné. Il est temps de vérifier la validité de nos hypothèses.

Je poussai un soupir de soulagement. Une minute de plus sur cette chaise de café et ma colonne vertébrale aurait ressemblé à une clef de *sol*.

Traversant la place, nous entrâmes dans une petite construction ancienne qui servait de billetterie. Derrière s'ouvraient des jardins fleuris, plantés d'arbres majestueux et traversés d'une rivière. Au bout d'un petit pont se dressait le château, reflétant dans l'eau verte des douves sa façade coiffée de tourelles pointues. Un cygne glissait lentement, tout était calme, presque féerique.

– Admirez les proportions harmonieuses de l'édifice, s'enthousiasma M. Coruscant. Et quel splendide cadre de verdure !

Mais nous avions autre chose à faire qu'à nous extasier sur la beauté du lieu. Prenant la tête de notre petite troupe, Rémi s'était déjà engagé dans l'escalier du logis principal. P.P. fermait la marche, le nez plongé dans le guide pour tâcher de se repérer.

– L'instant est solennel, murmura-t-il avec un frisson d'excitation.

À droite s'ouvrait une première salle, tendue de tapisseries aux teintes passées.

– La salle à manger, expliqua M. Coruscant. Remarquez les poutres décorées du plafond.

Nous poursuivîmes notre visite, traversant d'autres salles, toutes ornées de meubles d'époque. Rien ne semblait avoir changé depuis François Ier : on aurait dit le château de la Belle au bois dormant, comme si le temps, ici, s'était arrêté durant des siècles. Par les fenêtres à carreaux plombés, on apercevait sur les berges de grosses barques en bois verni, un saule dont le feuillage baignait dans l'eau. Pour un peu, j'en aurais oublié le trésor que nous cherchions.

– Je crois que nous y sommes, dit enfin M. Coruscant. La chambre de François Ier.

C'était une grande pièce glaciale, au plafond haut, aux meubles lourds et sombres. Au fond, une cheminée monumentale dans laquelle on aurait pu faire cuire un éléphant. M. Coruscant avait vu juste : au-dessus de la cheminée, la queue repliée sous les pattes, un gros lézard crachait des flammes sous une couronne à fleurs de lis.

– Nous avons trouvé, bégaya P.P. La salamandre de François Ier !

On aurait dit une sorte de dinosaure, la gueule fendue d'un sourire inquiétant, l'échine crénelée comme une muraille de château fort. J'eus un petit frisson. Si j'avais été roi, j'aurais choisi un autre emblème, quelque chose de joli comme une fleur ou un papillon.

– Vite, s'impatienta Rémi. Cherchons dans la cheminée. Je suis sûr que c'est là qu'est cachée la Salamandre d'Or de Roberto Bolognese.

Mais nous eûmes beau sonder les murs, tâter le conduit de la cheminée, rien. Pas de cache secrète, de niche encastrée dans la pierre où l'on aurait pu dissimuler une statuette de cette taille.

– Essayons autre chose, suggéra P. P. Le bas-relief abrite peut-être un mécanisme actionnant un double fond. J'ai vu ça un jour, dans un film.

Nous palpâmes fébrilement la salamandre, mais rien ne se produisit. Il fallait bien se rendre à l'évidence : M. Coruscant avait fait fausse route.

– Non, s'entêta P. P. Nous avons la preuve que le quatrième indice conduisait bien ici. Sans cela, pourquoi l'homme du train aurait-il pris un billet pour Azay-le-Rideau ?

– On n'est pas au cinéma, P. P., dit Rémi avec découragement. Tu vois bien qu'il n'y a rien ici.

– Mes pauvres amis, gémit M. Coruscant, j'ai bien peur de vous avoir menés sur une fausse piste.

– Attendez ! s'écria P. P. Vous avez bien dit que la salamandre vit dans la braise ? qu'elle s'en nourrit ?

– 20 sur 20, P. P., ironisa Rémi. Tu as bien retenu la leçon.

– Mais la solution saute aux yeux, alors ! poursuivit P. P. en ignorant l'interruption. C'est aux cuisines qu'il faut chercher !

– Bien sûr ! beugla M. Coruscant en écho. Le feu, la nourriture, les cuisines, tout concorde ! De Culbert, vous êtes mon digne élève.

Aussitôt nous rebroussâmes chemin, le cœur battant à tout rompre.

Les cuisines du château étaient situées au rez-de-chaussée. Une faible lueur entrait par d'étroites fenêtres, baignant la pierre nue et les voûtes à ogives d'une lueur lugubre. Un tournebroche gigantesque, une potence, des ustensiles noircis : on se serait cru dans une salle d'armes plutôt que dans une cuisine. Par chance, nous étions seuls dans cette partie du château. L'heure tournait, il fallait se dépêcher si nous voulions trouver avant la fermeture.

Grimpant sur une table, Rémi avait glissé la main dans la cheminée, tâtonnant en aveugle. Soudain, nous le vîmes blêmir.

– Je crois que je viens de toucher quelque chose. C'est lisse, froid… Attendez, ça bouge ! Bon sang, je tremble tellement que je vais tout lâcher.

Il y eut un raclement à l'intérieur du conduit.

– On dirait une statuette, glissée dans un trou du mur. Ça y est, je l'ai !

Au même instant, ses doigts dérapèrent. L'objet bascula, échappant à sa prise.

Par chance, Rémi a de bons réflexes. L'habitude du basket, sans doute. Lâchant un juron, il rattrapa la statuette au vol à l'instant où elle heurtait la table.

C'était la Salamandre d'Or de Roberto Bolognese !

Au même moment, un grincement se fit entendre derrière nous.

– La porte ! hurla P.P. On nous enferme !

Mais il était déjà trop tard. La porte des cuisines venait de se fermer avec fracas. Une clef tourna dans la serrure, des pas résonnèrent dans l'escalier puis s'évanouirent.

Nous étions prisonniers dans les cuisines du château d'Azay-le-Rideau.

20

L'homme du train

– Cataclysme! murmura P. P. C'est l'homme du train! Il nous a suivis.

– Pas de panique, dit Rémi. Nous l'avons devancé : la salamandre est à nous.

C'était une statuette d'une trentaine de centimètres, la réplique exacte de la salamandre de François Ier. Dans la pénombre, ses flancs dorés brillaient d'un éclat magique. Roberto Bolognese avait véritablement créé une œuvre magnifique, et elle était à nous!

– Mes enfants, dit gravement M. Coruscant, vous vivez là des instants solennels, comme seuls en ont connu avant vous Schliemann devant les ruines de Troie et l'expédition qui a résolu le mystère de la Grande Pyramide.

– Permettez-moi de vous rappeler que tous les membres de cette expédition sont morts peu après, victimes d'un mal inexplicable, dit P.P. Si nous ne pouvons sortir d'ici, qui assistera à mon triomphe ?

– Appelons, suggérai-je. Quelqu'un viendra bien nous ouvrir.

Mais la porte était trop épaisse. Nous eûmes beau tambouriner, hurler, personne ne vint.

– Le château ferme dans vingt minutes, paniqua P.P. Nous sommes coincés pour la nuit, sans vivres ni oreillers.

M. Coruscant se gratta le crâne.

– La situation est préoccupante, en effet. La nuit va tomber. J'ai bien peur qu'il ne faille se résoudre à installer ici un campement de fortune.

– Chut ! lança alors Rémi. On vient !

En effet, il y avait quelqu'un derrière la porte. Un bruit de pas furtifs s'était fait entendre, plus inquiétant que rassurant à vrai dire.

– Les gardiens, murmura P.P. Nous sommes faits.

La clef tourna doucement dans la serrure. Un grincement, et la porte s'entrebâilla, laissant filtrer le rayon lumineux d'une torche. L'inconnu, quel qu'il soit, ne semblait guère plus rassuré que nous.

– Non, pas un gardien, siffla Rémi. Ce parfum... C'est l'homme du train !

Déjà il avait bondi, se jetant sur l'inconnu comme s'il plaquait un rugbyman. Il y eut un cri étouffé et ils roulèrent à terre en une lutte sauvage.

– La torche! haleta Rémi. Je le tiens!

L'homme avait lâché sa lampe. Je m'en emparai d'un bond et éclairai la scène.

Rémi avait le dessus. Maintenant l'individu au sol, il menaçait de l'étrangler avec un pan de son écharpe. Dans la bataille, le béret avait glissé, révélant un visage encore jeune, aux yeux écarquillés. Mais le plus étrange était cette moustache qui pendouillait d'un seul côté de son nez, comme si l'autre côté avait été arraché.

– Arrêtez! glapit alors P. P. C'est ma sœur, Rose-Lise de Culbert!

Quoi? L'homme du train, l'adversaire qui nous collait aux basques depuis le départ, n'était autre que la sœur de P. P.?

(21)

Cul-de-sac

– Quelle brute! geignit Rose-Lise en s'asseyant péniblement sur les marches. Cet énergumène a bien failli me briser les côtes!

On aurait cru entendre P.P. : la même voix grêle, le même visage rond et myope, mais dans un corps tout sec. Rose-Lise est la sœur aînée de P.P., et avoir une sœur pareille est pire qu'avoir un casier judiciaire.

– Mademoiselle, dit M. Coruscant, je pense que vous nous devez quelques explications.

Rose-Lise haussa les épaules et arracha le reste de son postiche.

– Tout est sa faute, commença-t-elle en désignant P.P. Comme vous le savez, je suis abonnée à *La Dépêche*. C'est grâce à moi que Pierre-Paul a découvert cette chasse au trésor. Alors, quand j'ai compris que mon petit frère chéri s'apprêtait à tenter

l'aventure sans moi, mon sang n'a fait qu'un tour.
J'ai décidé de participer moi aussi à la course et de
lui faire rentrer sa suffisance dans la gorge !

– En nous filant ? s'indigna P. P. Un peu commode, permets-moi de te le dire ! Je déploie des
prodiges d'intelligence et de déductions, et toi tu
te contentes de nous suivre comme un caniche qui
flaire un bon os.

– Décidément, pauvre nain, tu seras toujours le
même. Le premier indice me manquait, j'ai dû me
déguiser pour vous filer le train. Je me serais volontiers passée de ta compagnie grotesque, figure-toi,
mais comment faire autrement ? Quant aux autres
indices, ce fut pour moi un jeu d'enfant.

– J'ai toujours su que tu étais mauvaise joueuse, dit P. P. J'avais trois ans que tu trichais déjà au Monopoly pour me voler mes hôtels.

– En tout cas, triompha Rose-Lise, j'étais à Blois bien avant toi.

– Où tu as volé les indices pour nous barrer la route ! Très fair-play de ta part !

– Ce doit être un défaut de famille, dis-je en regardant P. P. Sans moi, tu faisais la même chose à la tour Charlemagne.

Leurs chamailleries commençaient à m'agacer prodigieusement.

– Moi, au moins, rétorqua P. P. avec hauteur, je n'enferme pas les gens dans des châteaux déserts, sans boisson ni nourriture.

– Comment ça ? s'étrangla Rose-Lise. D'accord, c'est moi qui ai volé les indices de Blois. Mais tu ne m'accuses pas, je l'espère, de t'avoir enfermé ici ? J'ai entendu des cris, j'ai voulu vous venir en aide et voilà le résultat : deux côtes fêlées et mon frère qui m'accuse de tentative d'assassinat !

– Mais alors, bredouilla P. P., si ce n'est pas toi, qui alors ?

– Je le jure, dit Rose-Lise, levant la main et crachant par terre. Sur la tête de notre chère môman. Mais cela n'a plus d'importance maintenant. Vous avez la salamandre, je dois m'avouer vaincue. Moi aussi, j'ai fouillé les cuisines, tôt ce matin. En vain, malheureusement.

– Une pierre a été descellée dans le conduit de la cheminée, expliqua fièrement Rémi. La salamandre était cachée là.

– Maintenant, filons, intervins-je. Le château ferme dans trois minutes.

– Attendez ! dit M. Coruscant. Je crains d'avoir à vous apprendre une épouvantable nouvelle.

Nous ouvrîmes tous de grands yeux. Qu'arrivait-il encore ?

– Hélas ! continua-t-il en montrant la salamandre. Regardez cette éraflure. La peinture s'est écaillée en cognant la table. Du plâtre recouvert d'une pellicule dorée ! Nous avons affaire à un faux flagrant.

(22)

Le bout de la piste

Nous étions abasourdis.

La Salamandre d'Or, un faux ?

– Il faut se rendre à l'évidence, dit enfin M. Coruscant. Quelqu'un est passé là avant nous et a remplacé l'original par un vulgaire moulage de plâtre. À quelle fin, je l'ignore. Mais, à l'heure actuelle, la vraie salamandre est déjà loin.

– Mais qui ? éclatai-je. Et pourquoi la remplacer par un faux ? Tout cela n'a pas de sens !

– Quittons les lieux, dit M. Coruscant. Nous n'avons plus rien à faire ici.

Nous sortîmes du château à pas lents, l'esprit tourneboulé par ce dernier coup du sort. Échouer si près du but ! C'était vraiment trop injuste. Si encore nous avions été battus à la loyale, par un concurrent plus rapide que nous… Mais qui pouvait bien avoir intérêt à cette substitution ?

– Je suis sincèrement désolée, dit Rose-Lise. Sans moi, vous seriez sans doute arrivés à temps.

– Rien ne sert de se lamenter, dit Rémi en haussant les épaules. Nous sommes tous responsables. Nous avons perdu trop de temps : à Mortemare, d'abord, puis avec la Vespa de P. P.

– Mortemare ? m'écriai-je dans une subite illumination. Rémi, tu es un génie !

Comme il ouvrait des yeux ronds :

– Mais si, rappelle-toi : les deux hommes parlaient de la salamandre et des imbéciles qui la cherchaient ! Omnubilés par l'homme du train, nous avons oublié ces deux-là. Je suis sûre que la solution de l'énigme se trouve à Mortemare.

Rapidement, j'expliquai à Rose-Lise notre mésaventure du premier soir : l'orage sur la route, notre campement improvisé ; puis la découverte de la demeure abandonnée où nous avions failli nous faire bêtement surprendre.

– Récapitulons, dit P. P. Que savons-nous des inconnus de Mortemare ? L'un des deux se nomme Bertie, ils cherchent la salamandre comme nous et Rémi a vaguement reconnu le bruit d'une Mercedes quand ils ont quitté les lieux…

– Une Mercedes ? répéta Rose-Lise. Mais il y en avait une sur le parking du château ce soir. Une plaque étrangère, italienne peut-être. Je n'ai pas eu

le temps de bien voir : elle a démarré en trombe quand je suis arrivée.

M. Coruscant hocha pensivement la tête.

– Simple coïncidence, sans doute. Mais, si ténu soit-il, c'est le dernier fil qui nous relie à la salamandre. Il faut filer sur l'heure à Mortemare.

La nuit commençait à tomber. Une trentaine de kilomètres nous séparaient de Mortemare, mais le temps pressait. Demain, il serait sans doute trop tard.

– Je sais que je n'ai pas toujours joué franc-jeu, dit Rose-Lise en nous voyant nous affairer pour le départ. M'accepteriez-vous quand même, juste pour cette fois ?

Nous nous regardâmes tous, peu enchantés à vrai dire de voir notre équipe grossie d'un deuxième de Culbert. Un seul suffisait déjà amplement.

– Après tout, dis-je, sans Rose-Lise, nous restions enfermés au château pour la nuit. Et puis, nos adversaires sont peut-être dangereux. Nous avons besoin de bras. Mais c'est M. Coruscant le chef de l'expédition, à lui de décider.

M. Coruscant s'avança. Saisissant Rose-Lise, il lui donna cérémonieusement l'accolade. Puis, reculant d'un pas :

– Mademoiselle, par les pouvoirs qui me sont conférés, je vous fais chevalier honoraire de notre confrérie des chasseurs de salamandre. Soyez la bienvenue parmi nous.

Rose-Lise était écarlate.

– Merci, bredouilla-t-elle. Merci à tous. J'espère me montrer digne de cet honneur.

P. P. leva les yeux au ciel avec accablement.

– Deux filles sur les bras, il ne manquait plus que ça ! Je vous préviens, la prochaine chasse au trésor que j'organise sera strictement réservée aux garçons.

Nous éclatâmes tous de rire.

– Et maintenant, en route ! lança notre chef. Plus une minute à perdre !

Cette fois, je laissai Pierre-Paul et sa sœur s'entasser en se disputant dans l'habitacle du side-car. Je n'aurais pas survécu à un autre voyage avec M. Coruscant.

Je montai derrière Rémi, sur la Vespa de P. P., et nous partîmes à fond de train dans le crépuscule qui tombait.

㉓
À l'assaut

Il faisait nuit noire quand nous arrivâmes en vue de Mortemare.

Contournant l'enceinte, nous pénétrâmes dans la propriété, moteurs éteints, par le chemin que nous avions emprunté le premier soir. Si les choses tournaient mal, mieux valait pouvoir nous repérer.

– C'est ici, indiqua Rémi. Regardez : les restes de notre feu de camp.

Nous cachâmes nos engins dans les buissons puis, à la file indienne, nous nous enfonçâmes dans le petit bois.

Rémi guidait la marche, s'éclairant de brefs coups de torche. Le sentier était étroit, les branches nous giflaient le visage. Plusieurs fois, je butai contre une souche, invisible dans l'obscurité. Il faisait noir comme dans un four, mais mieux valait progresser sans lumière si nous voulions surprendre nos adversaires.

– Des yeux, là ! hurla soudain Rose-Lise. Dans ce buisson ! On nous épie !

Mais ce n'était qu'un renard qui détala à notre approche. L'instant d'après, il y eut un grand plonc ! P. P. venait d'entrer en collision avec un tronc d'arbre.

– Bravo, les de Culbert ! s'emporta Rémi. Vous feriez de fantastiques commandos !

– Pas l'habitude de faire le singe comme toi dans les arbres, moi ! gémit P. P. en se frottant le front. Je ne suis qu'un petit être tendre, livré à une nature hostile et ténébreuse.

– Silence dans les rangs, gronda M. Coruscant. Nous approchons du manoir.

En effet, on devinait déjà des lumières à travers les feuillages. Le plus dur restait à faire : progresser à terrain découvert à travers la pelouse.

– Trois vagues d'assaut, ordonna M. Coruscant. J'avance en éclaireur. De Culbert, vous me suivez avec Mathilde. Rémi, vous servirez d'escorte à Mlle de Culbert. Rassemblement sous les fenêtres du manoir.

– J'ai gagné le gros lot, marmonna sombrement Rémi.

Mais déjà M. Coruscant avait disparu dans la nuit, courant avec une agilité insoupçonnable chez un savant de sa trempe.

Je le suivis à distance avec Pierre-Paul. La lune s'était levée, projetant des ombres gigantesques sur la pelouse. Je dois dire que je n'en menais pas large : nous formions des cibles idéales, et le tireur le plus minable nous aurait abattus comme de vulgaires pipes de foire.

Enfin, nous arrivâmes à l'abri des façades, bientôt rejoints par Rémi et Rose-Lise.

– Reconnaissance des lieux, chuchota M. Coruscant. Repérons d'abord l'ennemi, puis lançons l'assaut.

À pas de loup, nous nous approchâmes des portes-fenêtres. L'une d'entre elles était entrebâillée. De grands rideaux la masquaient, mais nous pouvions entendre deux hommes qui conversaient, tranquillement installés dans le grand salon où nous nous étions cachés.

– Mon vieux Bertie, nous les avons bien eus ! disait la première voix.

– Une imitation parfaite, oui. Ils n'y verront tous que du feu.

– Une bonne nuit de sommeil, poursuivit l'autre, et nous filons avec la salamandre. Direction, l'Italie !

– Quand même, reprit la seconde voix après un silence, je ne sais pas ce qui t'a pris d'enfermer ces jeunes gens dans le château. Je ne me le pardonnerai jamais s'il leur arrive quelque chose.

– Bah ! ils ne risquent rien : un bon rhume, tout au plus.

Nous nous tournâmes vers M. Coruscant. Nous en savions bien assez. Maintenant, il fallait agir.

– J'entre le premier, murmura-t-il. Pharamon, de Culbert, vous me suivez et vous bloquez les issues. Quant à vous, mesdemoiselles, vous restez en retrait pour assurer les premiers soins. Je ne serais pas étonné si nous devions distribuer quelques horions.

Comment ? J'avais traversé un souterrain puant, dormi à la belle étoile, et l'on me réduisait au dernier moment au rôle d'infirmière ?

– Hors de question, dis-je un peu trop fort. J'entre avec vous.

– Bertie, cria l'un des deux hommes, il y a quelqu'un dehors ! Filons d'ici !

– Trop tard ! hurla M. Coruscant en bondissant à l'intérieur. Fini de rire, mes drôles ! Vous êtes cernés !

En moins de temps qu'il ne faut pour le dire, nous nous étions rués à l'intérieur du salon, prenant position autour des deux hommes qui nous regardaient avec des yeux ahuris.

– Toute résistance est inutile, messieurs, poursuivit M. Coruscant. Rendez-vous dignement. Je vous préviens : j'ai été champion du Poitou de boxe française.

Les deux hommes parurent hésiter. Le premier était petit et maigre, avec un visage chafouin, le second grand et large, et son immense barbe tire-bouchonnait jusque sur sa poitrine.

Où donc avais-je vu cette tête-là auparavant ? Soudain, je me frappai le front.

– La photo de *La Dépêche* ! m'exclamai-je, braquant mon index sur Bertie. Je le reconnais : c'est Roberto Bolognese, le sculpteur de la salamandre !

24

Le secret de la salamandre

– D'accord, dit enfin Bertie en courbant les épaules avec résignation. Vous avez gagné. D'ailleurs, j'aime mieux ça : vous êtes sains et saufs, c'est l'essentiel.

Il montra les fauteuils qui l'entouraient.

– Asseyez-vous. Nous allions prendre une collation. Voulez-vous vous joindre à nous ? Il sera toujours temps d'appeler la police après.

Nous jetâmes un coup d'œil interrogateur vers M. Coruscant.

– Je crois que nous pouvons accepter, dit ce dernier. Je connais Roberto Bolognese de réputation : c'est un artiste, pas un malfaiteur. Nous pouvons faire confiance à son sens de l'honneur.

Tandis que son complice s'éclipsait pour chercher des sandwichs, nous nous assîmes tous les cinq, brûlant d'entendre les explications qui nous manquaient encore.

– Oui, commença Bertie, je suis Roberto Bolognese, le sculpteur. Bertie n'est qu'un diminutif. Quand *La Dépêche* m'a proposé de créer une salamandre pour la chasse au trésor qu'elle organisait, je me suis hâté d'accepter. Les commandes se faisaient rares, je traversais une mauvaise passe financière. Cette offre tombait à point.

Il se tut un instant pendant que son complice distribuait des boissons.

– Avec Paolo, mon fidèle assistant ici présent, reprit-il, nous avons travaillé jour et nuit pour concevoir cette Salamandre d'Or. Jusqu'alors, toutes mes œuvres ont été achetées par des musées. Je suis libre de les revoir quand bon me chante. Alors, imaginez ma tristesse au moment de céder mon chef-d'œuvre au journal ! Ma salamandre serait dissimulée quelque part, deviendrait la propriété d'un être cupide et ignare, incapable d'en apprécier l'élégance et la beauté… C'était un peu comme vendre l'un de mes enfants en sachant que je ne le reverrais jamais plus.

M. Coruscant hocha la tête.

– Un sentiment qui vous honore. Je savais que vous étiez un homme de goût. Mais pourquoi n'avez-vous pas refusé de vendre la salamandre ?

– C'était trop tard : j'avais touché une grosse avance, dépensée depuis longtemps. Il ne me restait qu'une solution, trouver moi-même la salamandre, la remplacer par une copie et prier pour que personne ne découvre la supercherie.

– C'était compter sans des adversaires de notre trempe, pérora P. P. On ne nous trompe pas, nous !

– J'ai loué ce manoir abandonné pour me servir de base, continua Roberto Bolognese. Par chance, j'ai pu découvrir la cachette de la salamandre avant vous et lui substituer la copie. Un peu tard, cependant : nous quittions les cuisines du château d'Azay-le-Rideau, notre butin dissimulé dans un sac, quand vous avez surgi. C'est là que nous avons commis ce geste impardonnable. La panique m'a pris, tout allait être découvert… J'ai laissé Paolo vous enfermer. Le brave homme ne voyait que mon intérêt. N'empêche, je suis coupable. Vous trouverez un téléphone dans l'entrée. N'ayez aucune crainte : je me rendrai à la police sans résistance.

Ainsi, tout s'éclairait : le voleur de la salamandre était le suspect le moins soupçonnable – son créateur lui-même.

– Et la salamandre ? intervint Rose-Lise.

– C'est vrai, j'oubliais. Vous avez bien mérité votre trophée. Le voici.

Il ouvrit le gros sac posé à son côté et, avec mille précautions, en sortit la salamandre.

Nous en eûmes tous le souffle coupé : la lumière des lustres se réfléchissait sur les flancs polis de la statuette, jetant des étincelles comme si la salamandre avait été vivante.

Pauvre Roberto Bolognese! Je comprenais mieux, maintenant, la peine qu'il avait éprouvée à s'en défaire. C'était une véritable œuvre d'art, un joyau de collection comme seuls savent en produire les grands artistes.

– Paolo, dit-il enfin, s'arrachant avec peine à la contemplation de son travail, prépare tes affaires. Mais inutile de te charger : là où nous allons, un pyjama et une brosse à dents suffiront largement.

M. Coruscant toussota, visiblement mal à l'aise. Nous n'osions pas nous regarder. C'était étrange : nous avions réussi, et cependant notre victoire avait un goût amer.

– Non, décréta alors M. Coruscant. Non, cela ne peut pas se passer ainsi. Nous sommes entre gentlemen. Pourquoi mêler la police à tout cela ?

Il se tourna vers nous, l'air grave.

– Jeunes gens, le récit de M. Bolognese m'a ému, je l'avoue... Quel artiste véritable ne souffrirait pas de se voir dépossédé des fruits de son talent ? Pour ma part, je ne puis accepter cette salamandre ; certes, nous l'avons gagnée, mais j'aurais l'impression de l'avoir volée à son créateur. Puis-je me faire votre

interprète en suggérant la seule solution qui m'apparaisse équitable en la circonstance ?

Nous savions tous qu'on pouvait se fier à M. Coruscant en matière de justice ; c'est l'homme le plus intègre que je connaisse, toujours prêt à nous défendre lors des conseils de classe. Et ce n'est pas Rémi qui aurait pu dire le contraire.

– Je savais que je pouvais compter sur vous, dit-il.

Puis, se tournant vers le sculpteur :

– Cher Roberto, reprenez courage. Demain, si vous le permettez, nous offrirons l'original de la salamandre à un musée. Vous pourrez ainsi la voir quand bon vous semblera. Quant à la belle copie que vous avez réalisée, elle ornera la salle d'histoire-géographie de notre collège, près du buste de Léonard de Vinci, afin de rappeler à tous ce que notre civilisation doit à ses grands artistes.

– Vrai ? bredouilla Roberto Bolognese, les larmes aux yeux. Vous ne préviendrez pas la police ?

– Et pourquoi donc ? Après tout, sans vous, nous n'aurions jamais su qui était l'homme du train.

– Ce n'est pas ce qu'il a fait de mieux, protesta P.P. Mais soyons sublimes jusqu'au bout. Je pardonne tout à ma sœur si elle me promet de me rendre ma fausse moustache.

Nous éclatâmes tous de rire, soulagés par ce dénouement imprévu.

– Eh bien, dit M. Coruscant, puisque tout est bien qui finit bien, si nous attaquions les savoureux sandwichs de Paolo ? Ce commando de nuit m'a donné une faim de loup !

Cher M. Coruscant ! C'était la deuxième fois ce soir qu'il résumait l'opinion générale.

Épilogue

Et maintenant, comme dirait mon prof de français, quelques mots de conclusion.

Je termine ce cahier dans ma chambre, un peu mélancolique. Sur le bureau, en face de moi, il y a une grande photo découpée dans *La Dépêche*.

« Les gagnants de notre chasse au trésor offrant la Salamandre d'Or au musée de la Renaissance d'Azay-le-Rideau », dit la légende.

On y voit M. Coruscant et Roberto Bolognese présentant la statuette aux journalistes. Rémi, sérieux comme un pape, a l'air d'avoir avalé un manche à balai. Moi, j'ai mon sourire des photos. De l'autre côté, il y a P.P., bouche ouverte, les yeux clos et les cheveux dressés sur la tête ; le flash l'a frappé en pleine bouille comme une explosion atomique à l'instant où il se faufilait au premier rang, écrasant le pied de Rose-Lise qui grimace à l'arrière-plan. Ce n'est pas une très bonne photo, mais je ne peux m'empêcher de la regarder avec nostalgie. Après toutes nos aventures, le mois d'août qui s'annonce paraît bien terne. Je donnerais n'importe quoi pour que notre équipe se reforme à nouveau.

Mais voilà : Rémi est à la campagne chez son oncle Firmin, Rose-Lise et Pierre-Paul se chamaillent du côté des Baléares, et M. Coruscant s'est replié chez lui, espérant bien terminer son étude sur la monnaie romaine avant la fin de l'été.

Quand j'aurai écrit le mot « Fin », j'achèterai du papier cadeau, du ruban, et je lui enverrai ce cahier. J'en avais fait la promesse en commençant, et même s'il connaît toute l'histoire, je dois bien ça à M. Coruscant. C'est grâce à lui que j'ai pu partir et boucler l'enquête dans les délais octroyés par mes parents.

Une dernière chose encore. Je garde un souvenir de cette aventure, le plus précieux de tous : une reproduction miniature de la salamandre, en or massif, que Roberto Bolognese a sculptée pour chacun de nous en gage de remerciement. Le don de la statuette au musée lui a fait une telle publicité qu'il croule sous les commandes.

En visitant son atelier, avec tous mes amis, je suis tombée sur un carton de croquis. L'un d'eux montre P. P., tout nu sous une toge d'empereur romain, une lyre à la main et le crâne auréolé d'une couronne de lauriers.

– Oh! un projet pour ma future statue, a expliqué P. P. Tu ne trouves pas que ça aurait beaucoup d'allure dans la cour du collège?

Décidément, P. P. Cul-Vert ne changera jamais.

C'est drôle, mais j'ai déjà hâte de le revoir, de retrouver Rémi et M. Coruscant. Un mois encore et ce sera la troisième...

Surtout, ne le dites à personne, on m'étranglerait. Mais vivement la rentrée!

P. P. Cul-Vert et le mystère du Loch Ness

① Une rencontre imprévue

L'aventure ne m'a jamais fait peur.

Une question de nature, je suppose. Il y a les gens taillés pour, prêts à se jeter tête baissée dans l'inconnu à la première occasion. Surtout lorsque cette occasion surgit à la fin du mois d'août, que la rentrée approche et qu'on s'appelle Rémi Pharamon, pensionnaire au collège Chateaubriand et cancre notoire.

J'avoue tout de même qu'en descendant du train j'étais obligé de me frotter les yeux pour réaliser ce qui m'arrivait. Tout s'était passé si vite... Qui aurait pu prédire la veille encore que je me retrouverais en Écosse, à Glasgow pour être exact, en train d'attendre sur un quai de gare ma correspondance pour un petit village perdu des Highlands ?

– Tu seras prudent, Rémi, n'est-ce pas ? Écris-moi dès que tu seras arrivé. Es-tu bien sûr de n'avoir rien oublié ?

Au moment de me mettre dans le train, ma mère avait redoublé de recommandations.

Mon oncle Firmin l'avait calmée : après tout, j'avais quatorze ans, j'étais bien capable de me débrouiller tout seul. Et puis, ce n'était pas comme si je partais pour le pôle Nord à bicyclette. L'Écosse est à peine à une journée de train, on m'attendait à l'arrivée, pourquoi se serait-elle inquiétée ?

Heureusement qu'il était là. Sans lui, je ne suis pas sûr que ma mère m'aurait laissé partir. J'ai fait le type blasé, le baroudeur. Mais quand le train a démarré, que j'ai vu leurs mains levées glisser le long de la fenêtre, j'ai senti une drôle de boule me serrer la gorge. C'était la première fois que je partais seul, et la lettre que je serrais dans ma poche n'avait rien pour me rassurer.

Une drôle d'invitation... Un appel au secours, plutôt, écrit d'une main si tremblante que j'avais eu du mal à reconnaître mon nom sur l'enveloppe : « Rémi Pharamon, aux bons soins de son oncle Firmin ».

Au message était joint un horaire de trains. Paris-Glasgow, avec changement à Londres. Après, un tortillard desservant les Highlands et, cerné d'un trait de stylo rouge, le nom d'une petite ville introuvable sur l'atlas : Keays, arrivée 21 h 30.

Je n'avais pas hésité. Le temps d'enfourner trois chaussettes et un pantalon propre dans mon sac, ma torche électrique et mon canif à huit lames, j'étais prêt à partir.

Peut-être aurais-je dû y réfléchir à deux fois.

La nuit commençait à tomber sur la gare de Glasgow, la pluie tambourinait sur la verrière et un petit vent glacé balayait le quai. Je ne suis pas trouillard. Mais le voyage avait été long, mon sandwich au concombre était infect et je m'aperçus que je frissonnais dans mon K-Way trop mince.

Pas de peur, non. Mettons que je me sentais tout à coup très seul, un peu perdu dans cette gare inconnue.

Je terminai mon sandwich et me rendis sous les panneaux d'affichage vérifier une nouvelle fois l'horaire de ma correspondance.

Plus facile à dire qu'à faire quand tout est écrit en anglais. Comme avait dit ma mère avant de glisser dans mon sac un petit manuel de conversation, je n'ai pas le don des langues. Mlle Pencil, ma prof d'anglais, prétend qu'elle n'a jamais vu un élève aussi nul depuis la fin de l'ère glaciaire, ce qui, entre parenthèses, ne la rajeunit pas tellement.

Pour dire la vérité, je n'ai jamais compris que des types s'échinent à dire *How are you ?* quand ils pourraient dire bonjour comme tout le monde. Essayez de prononcer *railway station* avec un chewing-gum dans la bouche et vous comprendrez de quoi je parle.

Depuis mon séjour chez Mrs Moule[1], j'avais de bonnes raisons de me méfier de la traîtrise anglo-saxonne. Comment se fier à des gens qui roulent à gauche, adorent le pudding à la graisse de mouton et les sachets de feuilles sèches trempés dans l'eau tiède ? Je ne connaissais encore rien aux Écossais, mais une reproduction en cire de mon sandwich aurait pu figurer dans un musée comme illustration de leur radinerie légendaire.

Je tentai une nouvelle fois de trouver mon chemin dans la forêt de panneaux indicateurs. L'heure tournait, il était grand temps de gagner mon train. Quai n° 5, à ce que j'avais cru comprendre. Je descendis quelques marches, traversai un passage souterrain, remontai de l'autre côté. Pas de train.

Je redescendis, un peu inquiet. Un autre escalier s'ouvrait à droite. Je grimpai les marches quatre à quatre, bousculé par une foule pressée qui semblait prendre un malin plaisir à me shooter dans les mollets. Quai n° 7. Je m'étais encore trompé.

J'allais revenir sur mes pas quand les haut-parleurs

---

1. Voir *P. P. Cul-Vert détective privé*.

se mirent à crachoter. Impossible de comprendre quelque chose à cette bouillie de mots. Il ne me restait plus que trois minutes pour ne pas rater mon train.

À l'idée de le manquer, de passer la nuit recroquevillé sur un quai de gare, mon sang ne fit qu'un tour. Je me ruai à nouveau dans l'escalier.

Dans ma précipitation, je ne vis pas le chariot à bagages qui en barrait l'accès. Je ne pus que me raccrocher au montant avant de dévaler les marches à la vitesse d'un bobsleigh.

L'atterrissage fut rude. Poursuivant son chemin, le chariot démantibulé alla finir sa course droit contre le mur, me projetant à terre dans une pluie de valises ouvertes, de caleçons et de brosses à dents.

« Bienvenue à Glasgow », disait l'affiche sur le mur. Sans doute un exemple typique d'humour écossais... À demi groggy, j'étais allongé au milieu des bagages éventrés, me demandant encore ce qui venait de m'arriver, quand une voix retentit au-dessus de ma tête.

– Rémi ? Qu'est-ce que tu fais là ?

Cette voix... Non, c'était impossible. Péniblement, je me redressai en clignant des yeux.

– Décidément, il faut toujours que tu te fasses remarquer !

Il y eut un grand éclat de rire.

Devant moi, emmitouflée dans son caban trop large, se tenait Mathilde Blondin.

② Une étrange disparition

— Figure-toi que je pourrais te demander la même chose. Qu'est-ce que tu fabriques ici ?

Installés face à face dans le compartiment, nous nous regardions avec ébahissement, maîtrisant à peine le fou rire qui nous gagnait.

Par chance, l'anglais n'a pas de secrets pour Mathilde : guidés par un contrôleur, nous avions fini par trouver le bon quai et sauter dans une voiture à l'instant même où le train s'ébranlait. Il filait maintenant à travers le crépuscule, laissant derrière lui les lumières scintillantes de Glasgow.

— La même chose que toi, je suppose, riposta Mathilde. Sauf que je ne m'amuse pas à faire de la luge dans l'escalier de la gare.

Très malin… Mathilde a beau être ma meilleure copine, je ne m'habituerai jamais à sa manière de se payer ma tête. Avec ses taches de rousseur, son nez pointu, elle ne rate pas une occasion de démontrer sa supériorité sur les pauvres garçons que nous sommes.

Mais nous étions trop ébahis l'un et l'autre de nous rencontrer ici pour commencer à nous chamailler. Combien de chances y a-t-il de tomber nez à nez sur sa meilleure amie au beau milieu d'une gare écossaise ? À peu près autant que de gagner au Loto ou de réussir un contrôle de maths.

Il y avait une embrouille là-dessous, c'était sûr.

– Toi d'abord, dit-elle en s'asseyant confortablement sur la banquette. Et essaie d'être clair pour une fois.

Le compartiment dans lequel nous étions installés était vide. Un vieux compartiment en bois comme on n'en voit plus que dans les films de Sherlock Holmes, avec un filet à bagages et des vues d'Écosse en noir et blanc au-dessus des appuie-tête.

Par la fenêtre, la nuit était complètement noire maintenant. Le train filait en hurlant, s'arrêtant dans de minuscules gares aux noms impossibles. Mathilde avait ouvert sur ses genoux un cake aux fruits confits, la pluie fouettait les vitres. Un délicieux frisson d'aventure me traversa l'échine tandis que je commençais.

– J'étais en vacances chez mon oncle Firmin. Pêche

dans l'étang, soirées jeu de cartes, tu vois le genre...
En fait, je m'ennuyais comme un rat mort.

– Moi j'étais à La Baule. Plage, shopping, casino.
Un vrai cauchemar.

– Et puis, un matin, je reçois au courrier une lettre
de P. P.

– Moi pareil.

– Pas une lettre, exactement : plutôt une sorte de
SOS.

– Un SOS ?

– Attends, je l'ai sur moi. Je vais te le lire.

Indubitablement, c'était l'écriture de P. P. Des jam-
bages prétentieux, pleins de bouclettes et de zigoui-
gouis, mais tracés d'une main tremblante à l'encre
rouge. Un rouge sombre, couleur de sang. Celui de
P. P. peut-être...

Le message était rédigé à la façon d'un télé-
gramme : « Ne suis pas sûr de tenir encore longtemps – stop. Danger faramineux – stop. Envoyer
mission de secours d'extrême urgence – stop. Discrétion impérative ! – stop. La vie d'un ami extrêmement cher en dépend – stop. Adresse et indicateurs
horaires joints – stop. Ton dévoué... arghh... »

– Arghh ? répéta Mathilde interloquée.

– Je te lis ce qui est écrit. Un râle d'agonie, je
suppose.

Mathilde se gratta la tête avec une moue incrédule.

– Décidément, je n'y comprends rien.

– P. P. est en danger, dis-je. Je ne sais dans quelle histoire il est encore allé se fourrer, mais il a besoin de moi.

– Et moi, alors? Je compte pour du beurre, c'est ça? Tu aurais pu au moins me téléphoner.

– Mais je t'ai téléphoné! Tu n'étais pas là.

– Forcément, dit Mathilde en haussant les épaules. J'étais à La Baule.

La mauvaise foi de cette fille me tue. J'allais rétorquer, mais à quoi bon? Contre Mathilde, je n'ai aucune chance.

– Figure-toi que j'ai reçu une lettre moi aussi, continua-t-elle.

– Tu vois…

– Non, rien ne colle. Lis toi-même.

Le papier qu'elle me tendit était un luxueux carton d'invitation rédigé à la plume. Dans le coin, imprimées à l'encre dorée, s'étalaient les armoiries d'un clan.

« Archibald de Culbert, douzième lord de Keays Castle, prie Mlle Mathilde Blondin d'honorer de sa présence les fêtes qui seront données au château pour l'anniversaire du très estimable Pierre-Paul de Culbert, premier du nom. Tenue de soirée souhaitée, mais non exigée. »

– Archibald de Culbert? répétai-je, au comble de la surprise.

– Un parent de Pierre-Paul, sans doute.

Non content d'être le cerveau incontesté de notre 4ᵉ 2, Pierre-Paul Louis de Culbert, P.P. Cul-Vert pour les intimes, appartient à une famille si noble qu'il pourrait figurer sur les timbres-poste à la place de la reine d'Angleterre.

C'est aussi le personnage le plus insupportable que je connaisse. Imaginez un bonhomme rondouillard et court sur pattes, si pénétré de sa propre importance qu'on dirait un ballon gonflé à l'hélium. La liste de ses défauts occuperait à elle seule tout le livre des records : de A comme « Avarice » à Z comme « Zigoto ».

Et pourtant, nous sommes inséparables. Ne me demandez pas pourquoi. Après les aventures que nous avons vécues ensemble, Mathilde, P.P. et moi formons un trio de choc, malgré nos chamailleries et une vie au collège pas toujours très rose. Seules les vacances avaient réussi à nous séparer. L'appel au secours de P.P. tombait à pic et je me serais fait hacher menu plutôt que de l'abandonner à son sort. Avec Mathilde dans le coup, notre petit groupe se reformait.

– Il y a quelque chose qui cloche, murmura-t-elle après un instant de réflexion. Quel rapport entre cette invitation et l'appel au secours de Pierre-Paul ?

– Peut-être s'est-il tellement gavé de petits choux à

la crème qu'il agonise en ce moment dans d'atroces souffrances, suggérai-je.

Mais Mathilde avait raison. Quelque chose clochait. Chacun de notre côté, sans nous être consultés, nous avions répondu à l'appel de P. P. Mais auquel croire ? À son dramatique SOS ? Au carton d'invitation de Mathilde ?

— Au fait, dis-je. Tu t'es bien gardée de me téléphoner toi aussi, des fois que j'aurais voulu venir.

— C'était une invitation personnelle, fit Mathilde d'un petit air pincé en terminant son cake. Et puis je te vois assez mal en tenue de soirée, sans vouloir t'offenser.

J'allais trouver une réplique cinglante quand une secousse ébranla le wagon. Le train freinait. Déjà ? C'est à peine si j'avais vu le temps passer. J'écrasai mon nez contre la vitre. Les lumières d'une petite gare tremblotaient dans le brouillard.

Un panneau fantomatique s'immobilisa lentement devant la fenêtre de notre compartiment. Un quai désert battu par la pluie. Un petit bâtiment de briques rouges.

C'était Keays. Nous étions arrivés.

Mathilde sauta sur ses pieds avant d'empoigner son sac à dos.

— Juste à l'heure. Cette fois, mon petit Rémi, pas de fantaisie avec les chariots à bagages. Je ne tiens pas à ce qu'on pense que je voyage avec un demeuré.

La médiocrité de cette attaque me tira un ricanement de dédain.

– Je plaisantais, corrigea-t-elle. À vrai dire, je ne suis pas fâchée que tu sois là. Cette histoire de double message ne me dit rien qui vaille. Il y a là-dessous un coup fourré ou je ne m'y connais pas.

Je haussai les épaules d'un air dégagé. La petite gare dans le brouillard n'avait rien de rassurant, mais P. P. nous attendait sûrement sur le quai.

Plus que quelques instants et nous aurions la solution au petit problème qui nous tracassait.

③
Le comité d'accueil

Mais nous eûmes beau scruter le quai, pas de P.P.

— Tu es sûre que c'est là ?

Mathilde se contenta de frissonner. La gare était déserte, comme ces bâtiments à l'abandon sur les petites lignes désaffectées de campagne. Une horloge lumineuse trouait le brouillard, un panneau métallique se balançait en grinçant. Charmante ambiance ! Il nous fallut un moment pour réaliser que nous étions les seuls passagers à descendre du train, comme si cette gare n'avait pas réellement existé. Puis un sifflet déchira l'obscurité, des portes claquèrent et le train disparut, nous abandonnant au milieu du brouillard.

— Pierre-Paul va m'entendre, gronda Mathilde. Il nous a posé un beau lapin.

— C'est la preuve qu'il a des ennuis. Quelque chose ou quelqu'un a dû l'empêcher de venir.

– En tout cas, j'espère que tu as une idée géniale. Pas question de poireauter ici une minute de plus !

– Attends, dis-je. Je crois qu'il y a quelqu'un. Nous allons pouvoir nous renseigner.

Une silhouette massive venait de surgir du brouillard, abritée sous un grand parapluie. Une femme. Plus d'un mètre quatre-vingts, des épaules carrées de *horse guard*, un menton en galoche. Une seconde, j'eus l'impression de reconnaître Mme Taillefer, l'infirmière du collège. Dans la lumière blafarde de l'horloge, la ressemblance était frappante : même stature, un air à peu près aussi souriant que la devanture d'un magasin de prothèses médicales.

– *How do you do ?* essaya Mathilde d'une voix mal assurée. *Could you please help us ?*

Au lieu de répondre, la femme s'empara d'autorité de nos bagages. Puis, toujours sans un mot, elle pivota sur les talons et gagna la sortie à grandes enjambées militaires.

– Hé ! m'écriai-je, attendez ! Qu'est-ce que vous faites ?

C'était trop fort ! Se faire faucher nos valises, juste sous notre nez ! Mais Mathilde me saisit le bras.

– Cesse de t'exciter, Rémi : tu ne vois pas que c'est le comité d'accueil ?

Nous lui emboîtâmes le pas, moitié courant, moitié marchant, en nous jetant des regards perplexes.

Quel était ce dragon ? Décidément, P. P. avait intérêt à trouver des explications convaincantes.

Nous n'étions pas au bout de nos surprises. Devant
la gare, moteur ronronnant, une voiture nous attendait. Une Rolls-Royce, de la taille approximative
d'une locomotive.

Je poussai un sifflement admiratif pendant que la
femme jetait sans ménagement nos bagages dans
le coffre. Désignant la banquette arrière, elle nous
fit signe de monter. Puis, s'installant au volant, elle
ôta son chapeau de pluie pour se coiffer d'une casquette bleu marine de chauffeur, bloqua la sécurité
des portes et mit les gaz.

– Sacré P. P. ! ne pus-je m'empêcher de murmurer.
Il ne se mouche pas avec le dos de la cuillère ! C'est
bien la première fois que je me fais conduire en Sil-
ver Shadow par un chauffeur de maître.

On ne se serait pas cru dans une voiture. Plutôt
dans un salon confortable, aussi vaste qu'un terrain de football, qui sentait bon le cuir et le bois
verni. Des bouteilles et des verres en cristal tintin-
nabulaient dans le bar, il y avait un téléphone, un
téléviseur encastré dans le dossier du siège avant. Il
ne manquait plus qu'un feu de cheminée pour que
l'illusion soit complète.

– Un whisky ? Un doigt de brandy ? plaisantai-je.
Un cigare ?

Mathilde eut une grimace.

– Pourvu qu'on arrive vite, murmura-t-elle en portant la main à sa bouche. La suspension me donne mal au cœur. Je crois que je vais vomir.

La femme conduisait sans un mot, l'œil rivé à la

route. Le brouillard était si dense qu'on voyait à peine les bas-côtés. À un moment, il me sembla que nous traversions un village, puis ce fut à nouveau l'obscurité complète.

Enfin, la voiture ralentit. Le nez collé à la vitre, je devinai une longue allée plantée d'arbres. Au fond, les phares silhouettèrent un instant la grille monumentale d'un parc. Puis nous plongeâmes à nouveau dans une mare de brume.

Mathilde poussa un petit cri étouffé :

– Rémi ! Tu ne devineras jamais ce que je viens de voir ! Un zèbre ! Il y avait un zèbre sur le bord de la route !

– Un zèbre en Écosse ? Pourquoi pas un éléphant rose tant que tu y es ?

– Je te jure que je l'ai vu ! Un zèbre aux yeux tristes, avec de longs cils, qui nous regardait passer !

Mais la Rolls venait de s'arrêter. La femme coupait le contact quand quelque chose tomba sur le capot avec un bruit lourd. Au même instant, un cri déchirant se fit entendre, une sorte de plainte à vous glacer le sang.

À travers le pare-brise ruisselant, nous eûmes le temps d'apercevoir une sorte d'immense éventail qui se déployait, surmonté d'une petite tête pointue. Puis la chose sauta à terre et s'évanouit dans le brouillard.

– Un paon ! bredouilla Mathilde. Un zèbre et maintenant un paon !

Nous étions en Écosse, au pays des fantômes, mais là, ça commençait à faire beaucoup pour une seule nuit. Le voyage portait sur les nerfs de Mathilde. Encore un peu et elle verrait des ours en tutu sautant à travers un cerceau !

Pour l'instant, nous étions arrivés à Keays Castle. Le chauffeur vidait déjà la malle de nos bagages, visiblement peu impressionné par l'incident.

Dans un cliquetis de clefs, elle manœuvra la lourde porte de la demeure, et nous nous engouffrâmes à sa suite à l'intérieur du château.

④
Une nuit mouvementée

Nous fûmes accueillis dans le hall par le tintement sinistre d'une horloge sonnant onze heures. *Dong! Dong!* Chaque coup, répercuté par les murs de pierre, se perdait en échos sans fin sous des plafonds si hauts qu'ils disparaissaient dans l'ombre.

Impressionnés, nous nous tînmes un moment sur le seuil, espérant voir P.P. surgir des profondeurs de la demeure, bras ouverts, pour nous accueillir.

Mais rien ne se passa ainsi. Avec un geste de reproche, la femme (elle avait enlevé sa casquette pour revêtir un tablier blanc de gouvernante) nous montra nos baskets qui dégoulinaient sur le carrelage. Je cherchai des yeux un paillasson. Mais, hormis quelques armures, le hall était à peu près nu et aussi accueillant que la chambre froide d'un boucher.

C'est donc en chaussettes, les baskets à la main, que nous la suivîmes le long d'un escalier aux marches tendues d'un tapis rouge et râpé. En haut s'ouvrait un couloir interminable. Nous l'enfilâmes jusqu'au bout, puis grimpâmes un nouvel escalier, plus étroit cette fois, qui s'élevait en colimaçon dans ce qui semblait être une tour d'angle.

Nous débouchâmes enfin sur un palier, devant deux portes contiguës. C'étaient nos chambres.

Le chauffeur-gouvernante entra dans la première, y déposa le sac de Mathilde, puis me conduisit dans la seconde.

Au moment de refermer la porte, elle émit une sorte d'aboiement rauque et étranglé. C'était le premier son qui sortait de sa bouche et je compris qu'à sa manière enjouée elle venait de me souhaiter bonne nuit. Le bruit de ses pas s'éloigna dans l'escalier, puis le silence retomba sur la demeure.

« Bon, me dis-je. Pas de panique. »

Question confort, ma chambre n'avait rien à envier au dortoir sinistre de l'internat. Une pièce immense, un parquet gondolé sur lequel étaient jetés quelques tapis et, au centre, un lit à baldaquin dont le sommier grinça horriblement quand je m'y assis, soulevant un nuage de poussière qui me fit éternuer.

En plus, il faisait un froid de canard. J'éternuai

une nouvelle fois, me mouchai dans un pan de tenture moisie.

«Pas de panique», me répétai-je.

Mais seule l'imagination des tortures raffinées que je ferais subir à P. P. quand il me tomberait sous la main m'empêchait en cet instant de prendre mes jambes à mon cou.

Ça, et un petit grattement qui me fit dresser l'oreille. Puis la tapisserie mitée qui ornait le mur du fond se souleva, révélant une petite porte latérale.

– Tu es visible? lança Mathilde. Je peux entrer?

– Qu'est-ce que tu crois? Que je suis en train de me baigner nu dans du lait d'ânesse?

– Ouah! s'exclama-t-elle. C'est encore plus moche chez toi que chez moi.

– Excuse-moi, mais je n'ai pas encore eu le temps de retapisser.

– Nos chambres communiquent. Pratique, non?

Sa manière de fouiller partout, les yeux brillants d'excitation, me mit en rogne.

– Je trouve que ça a du charme, finalement. Ces vieux meubles, ces armures… J'ai toujours adoré l'ambiance château hanté.

– Eh bien, tu es servie, dis-je avec humeur. Moi je ne reste pas une minute de plus dans cette glacière.

– Tu as un plan?

– J'assomme la vieille, je fauche la Rolls et bonsoir tout le monde !

– À minuit passé ? Avec le temps qu'il fait ? Tu n'irais pas bien loin, mon pauvre Rémi. Et puis, sans te vexer, je te vois mal piloter cet énorme tacot.

– Tu plaisantes ? Mon oncle Firmin m'a un peu appris à conduire cet été. Ce n'est pas une Rolls qui va me faire peur.

J'omis de dire que la première leçon de pilotage que j'avais prise, la dernière aussi, c'était sur le vieux tracteur de mon oncle. Bon, j'avais embouti le hangar, dévasté le poulailler sans pouvoir m'arrêter, mais c'était une tout autre histoire.

– Vu tes exploits sur le chariot de la gare, tu aurais plutôt intérêt à voler une trottinette, suggéra Mathilde. Attends. Tu n'entends rien ?

Je dressai l'oreille. La pluie battait les carreaux d'un crépitement continu. Au loin cependant, mêlé au bruit du vent, une rumeur sourde montait, une sorte de rugissement étouffé qui s'éteignit dans un sanglot.

– Qu'est-ce que c'est ? fit Mathilde d'une voix blanche. On aurait dit...

Elle m'interrogea du regard, sans oser préciser sa pensée.

– Le cri d'un lion, dis-je, pas plus rassuré. C'est ce que j'ai entendu aussi.

Un lion, à Keays Castle ? Ça n'avait aucun sens. Nous eûmes beau guetter un moment, plus rien ne se produisit. Il n'y avait plus que le bruit de la pluie et le mugissement du vent à travers les grandes pièces vides.

– Ridicule, dis-je enfin. Ce devait être les grondements de mon estomac.

Au même instant, un fracas de porcelaine brisée retentit dans la chambre de Mathilde.

– Ton estomac, hein ? Tu dois avoir un sacré talent de ventriloque, alors ! dit-elle en sautant sur ses pieds.

Les cheveux se dressèrent sur ma tête. Cette fois, nous n'avions pas rêvé. Quelqu'un se baladait dans la pièce d'à côté.

Il fallait en avoir le cœur net. En trois bonds, Mathilde avait déjà gagné la porte basse. Soulevant la tapisserie, nous risquâmes un œil dans sa chambre.

Personne.

C'était à devenir fou.

– Regarde, dit Mathilde en me plantant ses ongles dans le bras. Quand j'ai quitté la chambre, ce plat était encore sur la cheminée.

Il gisait maintenant sur le parquet, brisé en morceaux si petits qu'il aurait fallu un champion du monde de puzzle pour le reconstituer.

– Un courant d'air, suggérai-je sans trop y croire. Le plat aura glissé.

– Impossible, dit Mathilde. J'avais posé dedans ma montre et mon chouchou. Ils ont disparu.

Cette fois, c'était grave. Quelqu'un s'était introduit dans la chambre de Mathilde, avait fait main basse sur ses affaires avant de disparaître.

Mais par où ? Méthodiquement, nous fouillâmes la pièce dans ses moindres recoins. Personne sous le monumental lit à baldaquin. Personne non plus dans l'unique placard encombré de vieilles couvertures et d'oreillers éventrés.

Les fenêtres, étroites comme des meurtrières, étaient verrouillées de l'intérieur. Quant à la cheminée, unique voie par laquelle aurait pu passer un homme, le conduit en était barré par d'énormes crochets de fer.

– C'est à n'y rien comprendre, dit Mathilde en tombant sur le lit avec découragement. Le voleur ne s'est quand même pas volatilisé !

– Il y aurait bien une hypothèse...

– Un fantôme, hein ? ricana-t-elle. Ne compte pas sur moi pour croire à ces sornettes, même si nous sommes en Écosse.

– Non, non. Un truc que j'ai lu dans un livre, cet été. Une femme qu'on retrouve assassinée dans le conduit de la cheminée... Toutes les issues sont fermées de l'intérieur et...

– Tu n'as pas d'histoires plus gaies ? m'interrompit-elle en frissonnant. Tu veux que je passe la nuit à faire des cauchemars ? Pas question de rester seule, en tout cas. Je n'ai aucune envie qu'on vienne me trucider dans mon sommeil.

Elle se redressa d'un air décidé, ouvrit son sac et en sortit sa chemise de nuit.

– Je suis épuisée, ajouta-t-elle avant que j'aie eu le temps de protester. Je prends le lit. Tu n'auras qu'à dormir dans le fauteuil.

– Elle est bien bonne, celle-là ! Et pourquoi pas le contraire ?

– Parce que c'est *ma* chambre, décréta-t-elle. Maintenant, si tu veux bien passer une minute dans la tienne, je vais enfiler ma nuisette et me mettre au lit. Bonsoir.

Comment lutter contre tant de mauvaise foi ?

Le fauteuil était à peu près aussi confortable qu'une planche de fakir. Les ressorts trouaient le tissu, les coussins semblaient remplis de noix. Mais je n'avais aucune envie moi non plus de rester seul.

Je passai un pyjama, mon pull marin, une paire de grosses chaussettes de laine et regagnai la chambre de Mathilde. M'emmitouflant dans des couvertures qui sentaient le moisi, je cherchai péniblement une position.

– Tu dors ? murmurai-je.

Pas de réponse.

– Mathilde, la lumière. Tu as oublié d'éteindre la bougie.

Un ronflement discret me répondit. Bien douillettement lovée au fond du lit, Mathilde dormait déjà.

Étouffant un juron, je repoussai les couvertures et traversai la pièce en clopinant. Je soufflai la bougie, regagnai à tâtons ma planche de torture.

La nuit était fichue. Dehors, le vent hurlait, Mathilde ronflait allègrement. Qu'étais-je venu faire dans cette galère ?

⑤

Attention, peinture fraîche

Quand j'ouvris les yeux, il faisait grand jour. Un beau soleil d'été jouait à travers les fenêtres à vitraux, projetant jusqu'à mon fauteuil une mosaïque de losanges colorés.

Mes paupières semblaient collées au ciment. Péniblement, je posai un pied par terre, tentant de m'extraire de ma couche de douleurs. J'avais l'impression d'avoir dormi dans le tambour d'une machine à laver tant j'étais courbatu.

Le lit de Mathilde était vide.

Je pris le temps de mâchouiller mollement ma brosse à dents, de passer un peigne édenté dans ma tignasse. Peine perdue. Les épis se dressaient sur mon crâne, on aurait dit ma mère lorsqu'elle sort de chez le coiffeur, les cheveux si hérissés par le brushing qu'il paraît avoir été fait par une bombe à neutrons.

Le filet d'eau qui coulait du robinet était glacial et me remit les idées en place. Les péripéties de la veille me revenaient par bribes : l'appel au secours de P.P., le carton d'invitation reçu par Mathilde, notre rencontre surprise à la gare de Glasgow, l'arrivée au château et l'absence de P.P., le fric-frac incompréhensible dans la chambre de Mathilde... Mais aussi les étranges apparitions qui nous avaient accueillis, le rugissement de fauve au milieu de l'orage...

Comme tout cela paraissait absurde par ce beau soleil ! Même Keays Castle semblait moins sinistre au grand jour. Je descendis l'escalier en colimaçon, longeai l'interminable corridor à la recherche de Mathilde.

Je la trouvai attablée dans la salle à manger, devant un petit déjeuner qui me remit du baume au cœur.

– Bien dormi ? me lança-t-elle en croquant dans un énorme croissant au beurre. Assieds-toi. La marmelade d'oranges est un vrai régal.

Mon couvert était disposé à l'autre extrémité de la table, à peu près aussi longue qu'une piscine olympique et surmontée d'un lustre en cristal d'où pendaient des toiles d'araignée. À côté de mon assiette était posé un téléphone. À peine avais-je déplié ma serviette qu'il se mit à sonner.

Je décrochai, un peu ahuri.

– *How do you do ?*

– C'est moi, imbécile, fit la voix de Mathilde dans le combiné. Plutôt pratique ce téléphone, non ? Ça nous évitera de hurler comme des putois… Thé ? Chocolat ?

– Chocolat, mais…

– Un instant. Je sonne Cornelia.

Je la vis qui agitait une sonnette à l'autre bout de la table. Une porte s'ouvrit comme par enchantement et notre hôtesse entra, portant sur un plateau un pot fumant.

– Une femme charmante, expliqua Mathilde au téléphone. Je n'ai pas pu lui tirer un mot, mais d'après l'inscription brodée sur son tablier, elle s'appelle Cornelia.

– Cornelia ou pas, je n'aimerais pas qu'elle me colle une beigne, dis-je en grimaçant un sourire de remerciement tandis que Cornelia me servait mon chocolat.

– Aucune nouvelle de Pierre-Paul, en tout cas. Je ne sais pas ce qu'il manigance, mais je suis bien décidée à tirer l'affaire au clair. Quand tu auras fini de te goinfrer, nous pourrons peut-être faire une petite visite du château.

À part mon sandwich au concombre et le cake de Mathilde, je n'avais rien mangé la veille. Je laissai le téléphone décroché pour avoir la paix et me tapai le meilleur petit déjeuner de toute ma vie.

Comme dit mon oncle Firmin, c'est avec l'estomac qu'on gagne les grandes batailles. Huit croissants et deux tasses de chocolat plus tard, j'étais plein comme une outre et prêt à suivre Mathilde où elle voudrait.

Le château ressemblait à un labyrinthe. Une multitude de pièces, toutes plus nues et plus froides les unes que les autres, ouvraient sur d'autres pièces encore plus nues et plus froides. On se serait crus dans un jeu vidéo, incapables de trouver la porte ouvrant sur le monde suivant. Les murs étaient décorés de trophées de chasse, d'armes du Moyen Âge et de portraits de gentilshommes aux visages aussi riants que celui de notre principal.

Comme nous ouvrions une lourde porte cloutée, Mathilde poussa un cri.

Je ne connais rien de plus exaspérant que cette manière qu'ont les filles de hurler à tout bout de champ. Pourtant, en découvrant à mon tour le spectacle qui s'offrait derrière la porte, je crus que j'allais avoir une attaque.

Le salon dans lequel nous venions d'entrer avait un plafond voûté, de larges baies vitrées par lesquelles le soleil entrait à flots. Une odeur de dissolvant et de térébenthine flottait dans l'air et prenait à la gorge.

– Ton tête, s'il vous plaît, fit une voix. Un pé plious à drouette, s'il vous plaît.

Debout devant la fenêtre, un peintre à béret armé
d'une immense palette était occupé à badigeonner
à petits coups de pinceau une toile posée sur un
chevalet.

Le modèle auquel il s'adressait avait la tête fièrement levée, un gros livre à la main et d'énormes
lunettes qui luisaient dans le soleil. Malgré le kilt à
carreaux et les chaussettes à pompons qui lui mon-
taient jusqu'aux genoux, il n'y avait aucun doute
possible.

– P.P.!

Nous nous étions exclamés d'une seule voix.

P.P. eut un sursaut de surprise. Le tabouret sur lequel il se tenait vacilla dangereusement. Il tenta de se rattraper à une tenture, y resta un instant suspendu, battant l'air de ses petites jambes, puis le rideau se déchira.

Il y eut un grand craquement d'étoffe, le boum d'une tête heurtant le chevalet. La seconde d'après, entortillé dans le rideau, P.P. gisait au milieu des pots de peinture, clignant des paupières et contemplant d'un air navré le tableau saccagé.

– Rémi, Mathilde! Pour une surprise!

– Je ne te le fais pas dire.

– Vous avez tout gâché, geignit-il. Le tableau était presque fini : mon portrait en pied! Une semaine de pose pour rien!

Je jetai un regard sarcastique à la toile. Couverte de giclures multicolores, on aurait dit maintenant une publicité pour une pizza géante.

– Plutôt ressemblant, dis-je. Félicitations, P.P. Avec quelques rondelles de salami en plus, l'illusion sera parfaite.

– Si vious n'avez plious bésoin dé moué, nous pourrons pétêtre réprendre démain, suggéra le peintre en rangeant son matériel avec un flegme imperturbable.

Les lunettes mouchetées de taches violettes, le rideau drapé autour du torse à la façon d'une toge romaine, P. P. était grotesque à voir et nous ne pûmes nous empêcher d'éclater de rire.

– Un chef-d'œuvre destiné à notre galerie de famille, bégaya-t-il. Le clou de la collection !

– Au lieu de te lamenter, tu pourrais nous donner quelques explications, intervint Mathilde quand le peintre eut quitté la pièce. Nous sommes là depuis hier soir et monsieur se fait tirer le portrait par un barbouilleur comme si de rien n'était ! Merci de ton accueil, Pierre-Paul ! Je m'en souviendrai, de tes invitations !

– Ce barbouilleur, comme tu dis, pauvre ignare, est le peintre officiel de la famille royale, rétorqua noblement P. P. en crachant sur ses lunettes pour les nettoyer. Son portrait du caniche nain de la duchesse de Cupoftea est exposé au Louvre, juste à côté de la *Joconde* !

– Et c'est lui, je suppose, qui a eu l'idée de cette jupette ridicule, dit Mathilde en désignant le kilt de P. P.

– Pour ta gouverne, ma chère Mathilde, cette jupette est le costume traditionnel de notre clan depuis 1220.

– Nous sommes au XXIᵉ siècle, P. P., au cas où tu ne l'aurais pas remarqué.

P.P. haussa les épaules.

– Tu oublies que tu parles à Pierre-Paul Louis de Culbert, premier du nom et héritier d'une longue tradition de génies.

– Balivernes ! s'emporta Mathilde. J'attends tes explications.

– Et elles ont intérêt à être convaincantes, ajoutai-je en me frottant le poing. Quand j'en aurai fini avec toi, ta bouille de génie risque fâcheusement de ressembler à ce portrait de pizza écrasée…

– D'accord, d'accord, convint P.P. Je vous dois quelques éclaircissements. Mais pas ici. Des oreilles indiscrètes pourraient nous entendre. Suivez-moi dans mes appartements. Le temps que je me débarbouille un peu et vous saurez tout.

⑥
Les étranges vacances
de P. P.

— Tu as trente secondes, dit Mathilde. Montre en main.

Nous nous trouvions dans la chambre de P. P. qui semblait prendre un malin plaisir à jouer avec nos nerfs.

Il avait d'abord fallu attendre qu'il prenne une douche, puis qu'il enfile des vêtements propres. Ensuite, il s'était beurré une longue tartine, sur laquelle il avait étalé un demi-pot de rillettes.

— Je fais un régime, expliqua-t-il. J'ai dû renoncer à mon mélange Nutella et saucisson à l'ail.

— Nous n'avons pas fait une journée de train pour te regarder te remplir la panse, dit Mathilde avec exaspération. Au cas où tu l'aurais oublié, c'est toi qui nous as fait venir ici.

— Pour quelqu'un qui lance des SOS, tu n'as pas

l'air trop mal en point, remarquai-je en le regardant engloutir son sandwich.

– Et ce carton d'invitation ? Je croyais que ton anniversaire tombait en avril ?

– Un double coup de génie, mes amis, dit P.P. avec satisfaction. Le moyen le plus sûr de vous attirer ici. En adressant cet appel au secours à ce bon Pharamon, j'étais sûr qu'il foncerait jusqu'ici, prêt à en découdre avec la terre entière... Pour toi, ma chère Mathilde, c'était encore plus facile : tu n'as jamais su résister aux occasions de faire étalage de ta garde-robe. J'ai misé sur ce penchant à la coquetterie si typiquement féminin, et ça a marché.

– Tu veux dire que tu as inventé toutes ces âneries pour nous faire venir ? s'étrangla Mathilde.

– Cela s'appelle de la psychologie, se rengorgea P.P. Une petite ruse bien innocente, et sans laquelle vous n'auriez su convaincre vos parents de vous laisser partir...

Il n'avait pas tout à fait tort sur ce point. Je connais les parents de Mathilde : la seule évocation d'un château les fait grimper aux rideaux. Quant à moi, j'avais marché comme un seul homme. L'appel au secours de P.P. était tombé à point pour me sauver de l'ennui des vacances chez mon oncle Firmin. Maintenant que je savais que P.P. ne courait aucun danger, j'en étais presque déçu. Je ne sais pas ce qui me rendait le plus furieux : avoir été grugé par P.P. ou les promesses d'aventures qui s'envolaient.

— Tu m'arraches à des vacances de rêve à La Baule, tu ne viens même pas nous chercher à la gare, et tu voudrais qu'on t'applaudisse pour ta minable petite combine ? explosa Mathilde. Donne-moi une seule bonne raison pour ne pas faire mon baluchon séance tenante et rentrer chez moi !

— Patience, dit P.P. Tu penses bien que je n'aurais pas usé mon argent de poche pour acheter deux timbres si l'affaire n'avait pas été d'importance.

Farfouillant dans le capharnaüm qui couvrait son bureau, il en tira une vieille carte routière et la déplia triomphalement.

— Regardez. Voilà la région des Highlands, dans le nord de l'Écosse. Le village de Keays, où nous nous trouvons, est ici. D'après vous, qu'est-ce que c'est que ça ?

— Un gros doigt boudiné, suggérai-je. Avec un ongle rongé au bout et des miettes de rillettes.

— Mais non ! Cette tache bleue, là, juste à côté du village.

— Je ne sais pas, moi. Un lac, peut-être.

P.P. leva les yeux au ciel.

— Pas un lac, ma pauvre Mathilde. Un *loch* ! Et pas n'importe lequel ! Le plus connu, le plus mystérieux, le plus mirifique de tous les lochs d'Écosse !

– Tu ne veux pas dire…

– Si ! Le Loch Ness ! La plus extraordinaire étendue d'eau d'Europe, le refuge du fameux monstre que tous les chercheurs du monde s'échinent à découvrir depuis la nuit des temps !

– Fariboles, gronda Mathilde. Le seul monstre de la région, à mon avis, c'est toi.

– Voilà toute l'explication, continua P. P. sans se laisser démonter. L'explication de ces invitations, pas très orthodoxes, je le concède volontiers, l'explication aussi de mon absence hier à la gare… Vous avez devant vous l'unique, le faramineux, l'incroyable Pierre-Paul Louis de Culbert, le premier homme à avoir résolu l'énigme du monstre du Loch Ness !

Mathilde et moi nous regardâmes avec atterrement. Ce pauvre P. P. déraillait complètement.

– Le climat n'a pas l'air très sain, dis-je en hochant la tête. Je crains qu'il ne t'ait tapé sur le système.

– Euh, naturellement, je ne l'ai pas encore trouvé… Mais je brûle, mes amis, je brûle ! Avec vous deux ici, c'est comme si c'était fait.

À cet instant, un mugissement atroce s'éleva quelque part. Une sorte de cri perçant et modulé, entre le miaulement d'un chat étranglé et le concert d'un troupeau de baleines, dont les échos répercutés par les murs épais de la demeure nous firent faire un bond sur place.

De ma vie je n'avais entendu son plus horrible. Les tympans vrillés, les jambes flageolantes, j'interrogeai P. P. du regard.

– Ma dernière invention, hurla-t-il pour couvrir l'ignoble meuglement. Venez, je vais vous montrer.

⑦
L'invention du siècle

Nous le suivîmes en nous bouchant les oreilles jusque dans un vaste grenier mansardé. Plus nous nous en approchions, plus le mugissement était insupportable.

Seuls ceux qui ont entendu P.P. Cul-Vert jouer de la flûte en cours de musique peuvent se faire une idée de ce que nous endurions. Je n'aurais pas souhaité ça à mon pire ennemi.

Le vacarme provenait d'un étrange appareil, constitué d'une peau de mouton, de tuyaux de pipes, et bardé de fils électriques qui convergeaient vers une batterie de tondeuse à gazon.

P.P. coupa l'interrupteur. La peau de mouton se dégonfla comme un ballon, les tuyaux retombèrent mollement sur les côtés. Il y eut un dernier couac, puis l'atroce musique mourut dans un ultime gargouillis à la façon d'un évier brutalement débouché.

– Alors, qu'en pensez-vous ? s'exclama fièrement P.P.

– Si tu rebranches une seule fois ce machin, dit Mathilde d'une voix exténuée, je te laboure le visage jusqu'au sang. Je n'ai rien entendu de pire depuis les répétitions du groupe rock du collège.

– Un truc comme ça devrait te valoir la prison à vie, dis-je à mon tour.

– La jalousie vous égare, mes amis. Cet appareil de ma fabrication sera bientôt breveté. L'idée en est simple mais géniale, comme toutes les inventions destinées à changer le cours de l'histoire humaine.

– D'accord avec toi : à côté, la bombe atomique n'est qu'un vulgaire pétard inoffensif.

P. P. haussa les épaules.

– Ce que tu as devant toi, mon brave Pharamon, n'est autre que la première cornemuse électrique à propagation sous-marine. Une petite merveille de technologie, capable de diffuser dans l'eau le son amplifié de cet instrument à vent.

– Aïe ! gémit Mathilde. Mauvaise nouvelle pour les poissons !

– D'accord, ça n'est pas encore tout à fait au point. L'appareil a tendance à se déclencher tout seul par moments. Encore quelques petits réglages et vous pourrez me baiser les pieds.

– À part terroriser les fonds marins, à quoi sert ce bidule ? fis-je, plutôt intrigué.

– Une petite explication s'impose, en effet. Pour l'instant, je vous demande le plus grand secret sur ce que vous venez de voir ici. Des puissances étrangères mal intentionnées donneraient des fortunes pour s'emparer de ce bijou.

Tandis qu'il débarrassait quelques fauteuils, je parcourus des yeux le grenier.

P. P. en avait fait son atelier, à en juger par les monceaux de rebuts qui s'entassaient à même le sol : bouts de tuyaux, pièces de moteur, morceaux de ferraille, rouleaux de fil électrique, outils en tout genre se mélangeaient à des restes de sandwichs verdâtres. Il y avait aussi une table de billard au feutre râpé, un flipper auquel il manquait un pied, des piles de livres poussiéreuses et un petit réchaud à gaz sur lequel une casserole gondolée tenait en équilibre.

– Je comprends votre surprise, commença P. P. Qui aurait pu penser que ce vieux château abritait un laboratoire ultramoderne ? Trop longtemps, la chasse au monstre du Loch Ness a été réservée à quelques amateurs à l'intelligence limitée et aux moyens plus frustes encore. Résultat ? Depuis près d'un siècle, c'est à peine si l'on possède du monstre quelques mauvais clichés en noir et blanc. Il fallait attendre un génie de ma trempe pour que l'espoir renaisse. C'est pourquoi, quand mon cher oncle Archibald m'a invité à passer le mois d'août ici, j'ai sauté sur l'occasion. Mais j'avais besoin d'assistants, de quelques disciples dévoués pour m'aider à accomplir cette tâche colossale : résoudre enfin l'énigme du monstre du Loch Ness.

– Pardon de t'interrompre, Pierre-Paul, mais je ne vois pas ce que ta cornemuse aquatique vient faire là-dedans.

– Justement, beugla P.P. en s'animant, il fallait être moi pour y penser! Ne vous êtes-vous jamais demandé pourquoi, parmi tous les lacs du monde, il n'y a qu'en Écosse qu'on trouve Nessie?

– Franchement non.

– La réponse crève les yeux, pourtant, ou les oreilles, comme vous préférez... Tout simplement parce que l'Écosse est le seul pays du monde où l'on joue encore de ce magnifique instrument folklorique qu'on appelle cornemuse.

– Et alors?

– Réfléchis, mon bon Pharamon. Il n'y a qu'à rapprocher ces deux faits. Quelle que soit la bête qui hante ce loch, survivant de la préhistoire ou serpent de mer d'une espèce encore inconnue, nous avons affaire à un monstre mélomane! Un amateur de cornemuse, qui, par ses timides apparitions, n'a d'autre désir que de s'adonner à son plaisir favori : jouir des doux sons de ce vénérable instrument.

Mathilde leva les yeux au ciel.

– C'est le plus grotesque raisonnement que j'aie jamais entendu.

– Forcément, rétorqua P.P. Comment une fille pourrait-elle comprendre la profondeur de mon génie?

– En admettant que tu aies raison, dis-je, à quoi sert ton invention?

– Facile : en diffusant sous l'eau les sons amplifiés de la cornemuse, j'attire le monstre. Plus besoin d'attendre une hypothétique apparition. L'appareil sert d'appeau, comme dans la chasse au canard.

Il sauta sur ses pieds, ravi de son petit effet.

– Mais ce n'est pas tout. En attendant que mon appeau fonctionne, j'ai mis au point une autre invention : un appareil photo à déclenchement automatique. Posé au bord du loch, il immortalise tout ce qui bouge grâce à une petite cellule photoélectrique. Il suffit que quelque chose apparaisse dans l'objectif, même de nuit, et hop! le flash se déclenche et la photo est dans la boîte.

Cette fois, nous en restâmes sans voix. Si exaspérant que soit P. P., son cerveau grassouillet fonctionne à la vitesse d'une idée par seconde.

– Tenez, j'ai déjà les premiers résultats, dit-il en nous fourrant sous les yeux quelques photos cornées. Pas très probants encore, mais ce n'est qu'un début.

Les photos étaient floues. Sur la première, on voyait le visage de P. P. démesurément agrandi comme celui d'une grosse mouche tandis qu'il réglait l'objectif. Sur une autre, la gaule d'un pêcheur. Sur la troisième, P. P. dégringolant de la berge en vol plané, un parapluie à la main, sous une pluie diluvienne.

La dernière, prise au flash, montrait un hibou clignant des yeux et l'étendue obscure du loch.

– Pas très probant, en effet, résuma Mathilde en se tordant de rire.

– C'est la raison pour laquelle je ne suis pas venu vous chercher hier, fit P.P. un peu vexé. J'effectuais des réglages de nuit.

– Au fait, j'y pense, dis-je en me frappant le front. Cette nuit, nous avons cru entendre quelque chose. Un rugissement de fauve. Est-ce que ce ne serait pas un coup de ta cornemuse, par hasard ?

– Impossible. Je ne l'ai branchée que ce matin.

– Il y a aussi ma montre et mon chouchou, intervint Mathilde. Quelqu'un est entré dans ma chambre, les a volés avant de disparaître alors que toutes les issues étaient fermées.

P.P. se gratta le menton.

– Bizarre, en effet. Il faudra résoudre ce petit problème.

– Petit problème ? Tu en as de bonnes : une montre qui m'a coûté tout mon argent de poche de l'année !

– Pour ce qui est du rugissement, je crois que je connais la solution, dit P.P. avec un petit sourire énigmatique. Venez avec moi, vous allez comprendre.

⑧
Les habitants
de Keays Castle

L'arrivée de nuit, dans la Rolls conduite par Cornelia, ne nous avait donné qu'une idée très approximative du château et de son parc.

Conduits par P. P., nous commençâmes une visite guidée des lieux. Malgré notre impatience, il refusa de nous en dire plus, préférant étaler son savoir encyclopédique et jouer au maître de maison.

– Admirez cette façade, du plus pur style XVIIIᵉ siècle. Keays Castle appartient à notre famille depuis vingt-trois générations.

– Ce qui fait remonter tes origines à l'homme de Cro-Magnon, remarqua Mathilde. Je me disais aussi qu'il y avait une certaine ressemblance.

– Une belle baraque, dis-je avec un petit sifflement d'admiration. J'ignorais que tu avais de la famille en Écosse.

C'était un bâtiment en pierre rose, avec une façade tout en longueur qui ressemblait à Moulinsart. À côté, le cabanon de mon oncle Firmin avait l'air d'une niche en ruine. Tout autour s'étendait un parc immense, planté d'arbres centenaires, dont les pelouses descendaient en pente douce presque à perte de vue.

– Archibald est un oncle éloigné du côté de ma mère, dit P. P. avec désinvolture. Un milliardaire un peu excentrique qui a consacré sa vie aux sciences naturelles. Il s'est retiré ici il y a quelques années. Vous le verrez certainement ce soir, au dîner.

– Un jardin pareil, ça doit demander un maximum d'entretien, remarqua Mathilde, toujours pratique.

– Huit cents hectares, expliqua P. P. Seize jardiniers à plein temps. Trente-sept espèces de roses répertoriées. Et vous n'avez pas encore vu le plus beau...

– Beaucoup trop pour mes pauvres pieds, en tout cas, dis-je avec une grimace. Je déteste les balades au grand air.

– Qu'à cela ne tienne, rétorqua P. P.

Il sortit de sa poche ce qui ressemblait à un petit sifflet de marine. Le portant à sa bouche, il émit un sifflement bref et modulé.

Aussitôt, un minuscule engin surgit de l'angle du château : une voiture électrique de caddie comme on en voit sur les terrains de golf, conduite par l'inévitable Cornelia, et qui vint se garer devant nous.

– *Thank you*, Cornelia, dit P. P. avec son inimitable accent anglais. Vous pouvez disposer.

Respectueusement, elle lui tendit les clefs de contact, s'inclina d'une courbette et rentra dans le château.

– Si vous voulez prendre place, les amis...

– De mieux en mieux, Pierre-Paul, fit Mathilde, sidérée. À la place de Cornelia, je t'aurais fait avaler ton sifflet.

– Bah, dit P. P. en s'installant au volant. De nos jours, on ne trouve plus de domestiques.

J'étais trop estomaqué pour dire quoi que ce soit. Je pris place à l'arrière de la voiturette, pliant les jambes comme je pouvais tandis que Mathilde montait à côté de P. P.

Ce dernier lâcha le frein trop brutalement. L'engin fit un bond en avant, évita de justesse une lourde jarre de fleurs. Cramponné au volant, les yeux exorbités, P. P. braqua à fond, soulevant un nuage de sable sur l'allée. La voiture fit encore quelques zigzags, puis, se redressant, fila sur le gazon comme une savonnette au fond d'une baignoire.

– Ralentis ! Tu vas nous tuer !

Mais P. P. ne maîtrisait plus rien. À chaque trou de taupe, la voiture bondissait joyeusement, éventrant les massifs, poursuivant les jardiniers qui, à notre passage, soulevaient respectueusement leur chapeau avant de détaler ventre à terre.

Par chance, le véhicule n'était pas très puissant. Sur un cahot plus rude que les autres, le pied de P.P. glissa de l'accélérateur et la voiture vint mollement mourir contre un talus de gazon bien gras.

– Bravo! s'exclama Mathilde. Tu consommes combien de jardiniers par jour?

– Oh, à peine un ou deux, dit P.P. piteusement. Je ne suis pas encore tout à fait familiarisé avec la conduite à gauche.

– On s'en est aperçus… Si tu laissais le volant à Rémi avant d'avoir saccagé entièrement l'héritage familial?

P.P. s'exécuta en rechignant. Il ne me fallut pas plus d'une minute ou deux pour avoir bien en main cette voiture miniature, et nous pûmes poursuivre plus tranquillement notre promenade, chauffés par le beau soleil qui perçait la voûte des arbres.

– Regardez! cria Mathilde comme nous longions les bords d'un petit étang. Un paon qui fait la roue! C'est lui qui a sauté sur le capot de la Rolls hier soir!

– Le parc en abrite une demi-douzaine, dit P.P. Des flamants roses, aussi, des pélicans, des autruches d'Australie…

– Et là! Regardez!

Ce qu'elle montrait aurait pu passer de loin pour un troupeau d'ânons folâtrant dans la prairie. Des ânons au pelage rayé de bagnard comme je n'en avais vu encore qu'à la télévision.

– *Caballus africanus*, dit doctement P.P. Plus vulgairement des zèbres.

– Comme ils sont mignons ! s'exclama Mathilde avec attendrissement. Rémi, j'attends des excuses immédiates. Je n'avais pas rêvé, hier soir.

Mais j'étais trop occupé à freiner à mort. Surgie d'un bouquet d'arbres, une chose brune et bondissante comme montée sur ressort venait de jaillir devant le capot.

– Un kangourou ! Comme il est mignon ! s'extasia une nouvelle fois Mathilde.

Le temps que dura la promenade, nous vîmes encore des daims, un couple d'émeus qui semblaient faire leur jogging, une famille de phacochères, une girafe et ses petits, et bien d'autres animaux encore...

La liste serait trop longue pour tous les citer. Comme P.P. daigna enfin nous l'expliquer, ils vivaient en semi-liberté dans le parc.

– C'est une idée de mon oncle Archibald. L'entretien de Keays Castle coûte une fortune. Mon oncle a rassemblé là tous les animaux rapportés de ses expéditions à travers le monde et transformé le parc en jardin zoologique.

– Alors, le rugissement que nous avons entendu...

– Un lion. Un vieux solitaire. Vous voyez ces rochers là-bas, juste au bord du loch ? C'est là qu'il vit. Mon oncle lui apporte des quartiers de viande deux fois par jour.

– Comme il doit être mignon! minauda Mathilde.
Allons le voir.

La fosse était protégée par un épais grillage. Au
fond, de gros rochers formaient une suite de grottes
verdies par la mousse. Mais le lion restait invisible,
à la grande déception de Mathilde.

– Je n'aimerais pas tomber là-dedans, dis-je en
réprimant un frisson.

– Seul mon oncle a le droit d'y entrer. Le lion le
connaît. Il ne ferait qu'une bouchée du visiteur qui
s'aventurerait par mégarde dans la fosse.

Je repensai avec horreur au rugissement que nous
avions entendu la veille. Décidément, Keays Castle
recelait bien des surprises. Mais de tous les animaux qu'il abritait, nous n'avions pas encore vu
le plus extraordinaire : Nessie, le monstre du loch
dont les eaux noires se devinaient en contrebas de
la roche au lion.

Je garai la petite voiture à l'ombre d'un arbre et
nous descendîmes à pied jusqu'à la rive, brûlant de
découvrir le repaire du fameux monstre.

Je ne regrettais plus d'avoir répondu à l'invitation
de P. P.

9

L'énigme de Nessie

La « cabane d'observation », selon l'appellation pompeuse de P. P., était un ancien abri de pêcheur en bois vermoulu, prolongé par un ponton qui s'avançait sur le loch.

P. P. l'avait aménagé à sa façon. Une chaise pliante, un morceau de carpette mangée par l'humidité, une étagère branlante supportant quelques couvertures, une paire de jumelles et d'autres ustensiles indéfinissables… Un hamac était tendu entre les parois, au-dessus d'une forêt de bottes en caoutchouc dépareillées et de bocaux vides.

— C'est joli chez toi, apprécia Mathilde en passant un index songeur dans la poussière qui recouvrait l'étagère. Un peu sale peut-être, mais coquet.

— En fait, je comptais sur toi pour faire un brin de ménage.

— Tu peux toujours courir ! Pour qui me prends-tu ?

– Et ça, dis-je en désignant le vieux coffre-fort qui occupait le fond de la cabane. Qu'est-ce qu'il y a dedans ?

– Oh, rien, juste quelques babioles de survie sans intérêt, dit P. P. en rougissant. De quoi tenir s'il m'arrivait d'avoir un petit creux.

– Ça tombe bien, s'exclama Mathilde. J'ai une faim de loup ! Que diriez-vous d'un bon pique-nique ?

Notre petite balade m'avait mis l'estomac dans les talons, et malgré ses protestations, P. P. dut se résoudre à ouvrir son coffre au trésor.

– Bon, d'accord, rechigna-t-il, mais tournez-vous pendant que je compose la combinaison. Je vous préviens, il n'y en aura pas pour tout le monde.

P. P. Cul-Vert est le plus extraordinaire radin que la terre ait jamais porté. En fait de babioles, le coffre contenait de quoi nourrir un régiment : gâteaux secs, tablettes de chocolat, madeleines, berlingots de lait concentré, maquereaux au vin blanc, sachets de fruits confits, barres de Mars et j'en passe...

– D'abord, tu es au régime, décréta Mathilde en vidant d'autorité le précieux garde-manger. Tu devrais nous remercier de te débarrasser de toutes ces tentations.

– Non, gémit P. P., pas mon chocolat truffé !

Ce fut un fabuleux pique-nique. Le soleil jouait

sur les eaux du loch, P.P. boudait dans son coin, soustrayant tout ce qu'il pouvait à notre avidité. Quand Mathilde découvrit les canettes de Coca mises à rafraîchir sous le ponton, il faillit s'évanouir.

– Merci de ce festin, Pierre-Paul, dit Mathilde à la fin. Je vous laisse chasser le monstre. Moi, j'ai plus important à faire : soigner mon bronzage... Appelez-moi quand vous l'aurez attrapé.

– C'est bien une fille, pesta P.P. en la regardant s'allonger tout au bout du ponton, un bras pendant mollement dans l'eau. Nous sommes sur le point de faire la plus extraordinaire découverte du siècle, et mademoiselle ne pense qu'à se dorer au soleil.

– Laisse, dis-je en haussant les épaules. Elles sont comme ça... Remarque, sans vouloir te contrarier, mon vieux P.P., j'ai du mal à penser qu'un monstre préhistorique puisse se cacher ici.

J'avais imaginé le Loch Ness autrement : une étendue d'eau grise et tourmentée, des nappes de brouillard, des sommets déchiquetés, une ambiance de film d'épouvante.

Devant nous s'étendait au contraire un paysage riant et vallonné, couvert de forêts et de landes que l'automne commençait à roussir. Des canards batifolaient le long des berges, l'eau clapotait doucement à nos pieds. Seule la ruine d'un château abandonné, dressée sur une île à quelques encablures de la rive, rappelait que nous nous trouvions en Écosse.

– Attends qu'il fasse nuit et tu verras, dit P.P. un peu vexé en me jetant sur les genoux une poignée de magazines. Voilà la documentation que j'ai rassemblée sur le monstre. Très instructif, tu verras, même pour un cerveau bonsaï comme le tien... Je vais m'occuper de mon appareil de détection. Rejoins-moi quand tu auras fini.

Je m'installai confortablement sur la chaise pliante et ouvris les journaux de P.P.

À dire vrai, je ne savais pas grand-chose du monstre. J'avais vu un film, un jour, dans lequel il s'avérait n'être qu'un sous-marin de poche camouflé, un autre dans lequel des paysans entretenaient sa légende pour faire fuir le nouveau propriétaire d'un château. Une sorte de superstition, comme les vampires ou le dahu de mon oncle Firmin, destinée aux esprits trop crédules et à l'imagination débordante de ce pauvre P.P.

Deux photos suffirent à me détromper.

La première, la plus ancienne, datait des années 1930. Prise de loin par un promeneur et plutôt floue, elle montrait les eaux du loch un jour d'orage. Au centre, on devinait nettement la forme sombre d'un cou immense, surmonté d'une tête minuscule comme celle d'un diplodocus.

Sur un autre cliché, aussi flou mais plus récent, on ne voyait que le dos du monstre. Une suite d'anneaux émergeant de la surface des eaux, qui évoquait le corps tire-bouchonné d'un énorme serpent de mer.

Pour les spécialistes qui les avaient analysés, l'authenticité de ces clichés ne faisait aucun doute. Rien à voir avec les hurluberlus qui photographient le couvercle de leur friteuse pour faire croire à une apparition de soucoupe volante. L'animal existait bel et bien. Régulièrement, des témoins dignes de foi, facteurs en tournée, touristes, pasteurs à vélo, avaient vu eux aussi le monstre émerger un instant de l'eau avant de disparaître dans les profondeurs.

Trop rapidement cependant pour que les savants puissent s'accorder sur sa nature. Pour certains, il s'agissait d'une espèce d'animal préhistorique mystérieusement préservé, pour d'autres d'un esturgeon géant ou d'un poulpe encore inconnu. Toutes les expéditions scientifiques qui ont dragué le loch à sa recherche sont rentrées bredouilles, expliquait l'article : le loch est trop vaste, d'abord, et les eaux en sont trop boueuses pour qu'on voie quoi que ce soit. Seuls quelques échos sonar ont signalé une présence inexplicable, d'une taille colossale, se déplaçant avec aisance dans les profondeurs.

Un tronc d'arbre englouti ? Peut-être, à condition

qu'il lui soit poussé des palmes ou un petit moteur à propulsion...

– Alors, convaincu ? lança P. P. quand je le rejoignis, l'esprit préoccupé par ce que je venais de lire.

Je hochai la tête sans répondre. Pourquoi pas, après tout ? Depuis notre arrivée à Keays Castle, nous étions allés de surprise en surprise. Au milieu des zèbres et des kangourous qui gambadaient dans le parc, un monstre de plusieurs tonnes aurait fait aussi peu d'effet qu'une tabatière en porcelaine sur le dessus d'une cheminée.

– Voilà la merveille, continua fièrement P. P. Tout ce qui passe dans un rayon de cent mètres à la ronde déclenche ma petite cellule photoélectrique astucieusement bricolée.

Je faillis éclater de rire. En fait de moyen de détection ultramoderne, l'appareil photo de P. P. devait dater au moins de la guerre des Gaules. C'était un vieux boîtier à soufflet, fixé sur un trépied et équipé d'une sorte de masque de plongée à verre grossissant qui évoquait irrésistiblement les lunettes de P. P.

– Objectif panoramique de mon invention, expliqua ce dernier. Cornelia a déposé au village la pellicule de cette nuit. J'ai hâte de voir les résultats.

– S'ils sont aussi bons que les précédents, tu pourras les adresser à la télévision, pour le bêtisier... À mon avis, tu as toutes tes chances.

Soudain, un cri retentit. Mathilde. Nous l'avions laissée seule, allongée sur le ponton.

– Venez! Vite! Il y a quelque chose qui bouge là-bas!

En deux enjambées, nous la rejoignîmes, le cœur battant à tout rompre.

– Le monstre? haleta P.P., polissant frénétiquement le verre de ses lunettes. Tu l'as vu?

Le soleil miroitait sur l'eau, si aveuglant que je dus mettre ma main en visière pour voir ce qu'elle nous montrait.

Tout là-bas, au fin fond du loch, une masse sombre venait d'apparaître.

– Il bouge! bredouilla P.P. en tremblant comme une feuille. Il vient vers nous!

Pas de doute : la chose se déplaçait. Malgré la distance, une sorte de halètement sourd accompagnait sa progression, porté jusqu'à nous par la brise qui s'était levée.

Fonçant à la cabane, j'attrapai les jumelles et revins à toutes jambes sur le ponton. Je ne vis rien d'abord : une grosse mouche posée dans une flaque de lumière. Tournant la mollette, je fis la mise au point et...

– Un bateau! Ce n'est qu'un bateau de pêche, remarquai-je, désappointé.

Il était assez près maintenant pour qu'on en distingue tous les détails. On aurait dit un chalutier comme on en voit dans les petits ports bretons, hérissé de gréements et d'antennes. À mesure qu'il s'approchait, le halètement que nous avions entendu se transforma en pout-pout poussifs de moteur Diesel.

– Des pêcheurs de harengs, confirma P.P., Mathilde nous a fait peur pour rien.

– Drôles de pêcheurs! riposta-t-elle. Il y a un type sur le pont qui nous regarde à la jumelle. Si on ne peut plus prendre des bains de soleil tranquillement sans que toute la flotte d'Écosse vienne vous reluquer...

– Elle a raison, dis-je tandis que le bateau passait à petite vitesse devant nous. Toutes ces antennes n'ont rien de très catholique. Jamais vu un bateau de pêche équipé comme ça.

Je braquai mes jumelles sur le pont, mais déjà l'homme qu'avait repéré Mathilde avait disparu. Le bateau s'éloignait, c'est à peine si je pus lire le nom écrit sur la coque avant qu'il ne s'évanouisse complètement.

– *Semaphorius IV*. Drôle de nom pour un bateau.

– Tu t'attendais à quoi? *Nessie II*? dit Mathilde en haussant les épaules. Bon, puisque je ne peux plus bronzer en paix, je rentre.

– *My God!* s'écria P.P. en consultant sa montre de plongée à douze cadrans. Cinq heures, déjà!

Oncle Archibald déteste qu'on soit en retard pour le thé.

L'après-midi avait filé sans qu'on s'en aperçoive. Déjà, le soleil déclinait derrière les collines, étirant sur les eaux de longues flèches dorées.

Ce ne serait pas cette fois que nous apercevrions Nessie. Un peu déçu, j'aidai P. P. à boucler la porte de la cabane et, sans un mot, nous regagnâmes la voiture électrique.

Il ne fallait pas faire attendre l'oncle Archibald.

10

Ce cher vieil oncle

– Miss Blondine! Puis-je vous féliciter pour votre hâle? Un teint magnifique, n'est-il pas? Je n'en dirais pas autant de vous, jeune Pheramone. Saviez-vous que le poireau est l'emblème de notre famille?

J'esquissai une grimace polie tandis qu'Archibald de Culbert gratifiait Mathilde d'un baisemain qui la fit rougir jusqu'aux cheveux.

– Asseyez-vous donc, charmante mademoiselle, et bienvenue à Keays Castle. J'espère que vous voudrez bien pardonner à un homme très occupé de ne pas avoir pu vous accueillir personnellement hier soir.

Archibald de Culbert portait un veston de velours râpé, un foulard à pois et d'élégants pantalons à carreaux écossais. C'était un homme de haute taille, au visage maigre, aux yeux vifs et pénétrants

– tout le contraire, en fait, de son neveu myope et rondouillard.

À l'instant où sonnait à l'horloge le premier coup de cinq heures, il tira de sa poche une montre à gousset et jeta vers la porte un regard légèrement irrité. Celle-ci s'ouvrit à la seconde précise où tintait le dernier coup. Cornelia fit son entrée, poussant devant elle un chariot de sandwichs et de pâtisseries.

– Parfait, apprécia-t-il en rempochant sa montre. J'aime que l'on soit exact. Vous pouvez servir, Cornelia.

Nous prîmes place autour de l'immense table sur laquelle le lustre jetait des flammèches colorées. Pas question d'utiliser le téléphone cette fois. L'oncle Archibald avait placé Mathilde à sa droite, nous reléguant, P. P. et moi, dans le coin le plus obscur, et il fallait presque crier pour se faire entendre.

– Tu peux y aller, murmura P. P. à mon intention. Mon oncle est un peu dur de la feuille.

Par chance, l'oncle Archibald parlait un français presque parfait. S'il avait fallu beugler dans la langue de Shakespeare, je ne sais pas ce que j'aurais fait. Il commença par nous raconter ses expéditions à travers le monde, comment il avait traqué le tigre en Inde, étudié les gorilles au fin fond de la jungle, plongé parmi les requins mangeurs d'hommes de l'océan Indien.

Mathilde papillonnait des yeux, levant le petit doigt pour tenir sa tasse et grignotant ses pâtisseries de la pointe des incisives comme si elle avait été reçue par la duchesse de Cupoftea en personne.

Je ne suis pas jaloux, mais je me sentais aussi insignifiant, tout au bout de la table, qu'une crotte de souris.

Allez rivaliser avec un spécialiste des pieuvres géantes et des crotales… Les seuls monstres que j'aie jamais combattus, ce sont les cafards des douches, à l'internat. L'oncle Archibald commençait sérieusement à me courir sur le haricot quand un fracas de verroterie nous fit lever la tête.

Un petit animal était juché dans le lustre au-dessus de la table et nous contemplait de ses yeux ronds.

– Ah ! Sherlock ! dit l'oncle Archibald. Venez dire bonjour au lieu de jouer les sauvages.

Se suspendant au lustre comme à une liane, la bestiole sauta lestement sur la table. Contournant tasses et assiettes, elle se précipita en deux bonds vers son maître.

– Qu'est-ce que c'est que ce gnome ? bredouillai-je, stupéfait.

On aurait dit un singe minuscule, couvert d'une toison soyeuse couleur de neige, avec deux oreilles pointues et des yeux qui luisaient comme de la braise.

– Miss Blondine, permettez-moi de vous présenter Sherlock. L'unique spécimen connu de chuchurda, une espèce rare de singe albinos que j'ai ramené d'une expédition au Zimbabwe.

– Comme il est mignon ! roucoula Mathilde tandis que le chuchurda se blottissait sur son épaule. Quel amour de peluche !

Mais déjà le chuchurda l'abandonnait et se lançait d'une glissade à travers la table. Le temps que je réagisse, il s'était jeté sur moi. D'une petite main preste, il m'arracha le sandwich que je mangeais, poussa un couinement de triomphe et revint en courant se jeter dans les bras de Mathilde.

– Ne vous y trompez pas, dit l'oncle Archibald. Sherlock est le plus fieffé voleur que je connaisse.

– En effet, dit Mathilde en éclatant de rire. Regardez : c'est lui qui a mon chouchou.

Le chuchurda l'avait enfilé autour de sa cheville. Quant à la montre de Mathilde, nous l'aperçûmes qui brillait au milieu des branches du lustre, suspendue comme une boule de Noël.

En deux mots, nous racontâmes à l'oncle Archibald le vol de la veille. Tout s'expliquait : le chuchurda n'était pas plus haut que trois pommes et d'une agilité diabolique. Il avait dû se glisser par le conduit de la cheminée et s'enfuir par là une fois son forfait accompli.

– Si tu m'avais écouté, dis-je à Mathilde, un peu vexé. Dans l'histoire de l'assassinat que j'ai voulu te raconter, le coupable était aussi un singe. Un orang-outan échappé d'un zoo.

– Ne ferais-tu pas allusion à *Double assassinat dans la rue Morgue*, d'Edgar Allan Poe, écrivain américain né en... commença P. P. avec son pédantisme coutumier.

Le chuchurda ne le laissa pas finir. Attrapant des quartiers de pomme dans l'assiette de Mathilde, il commença à en bombarder P. P. qui ne trouva son salut qu'en s'abritant derrière le dossier de sa chaise.

Le thé s'acheva dans un éclat de rire général.

– Que diriez-vous de terminer la soirée devant un bon feu de cheminée ? demanda l'oncle Archibald.

Nous accueillîmes sa proposition avec joie.

⑪
Des lumières dans la nuit

Quand nous fûmes installés confortablement dans les profonds fauteuils qui encadraient la cheminée, Archibald tira de la bibliothèque de lourds volumes dont la reliure portait le sceau de Keays Castle.

Sur la couverture, on pouvait lire : *Récits de mes voyages à travers le monde et des observations curieuses que j'ai pu faire sur la faune et la flore, par Archibald de Culbert, baronnet.*

– À part ma sœur Rose-Lise de Culbert, notre famille ne compte que de grands esprits, expliqua P.P. en se rengorgeant.

Dehors, il faisait nuit noire. Une petite pluie s'était mise à tomber. Le chuchurda avait élu domicile sur les genoux de Mathilde, le feu ronflait dans la cheminée, réchauffant de sa lueur le grand salon glacial décoré de trophées empaillés.

Poliment, je feuilletai le tome consacré aux expéditions africaines. Le texte était en anglais, mais il y avait de grandes cartes, des planches illustrées montrant un oncle Archibald en short d'explorateur et chapeau de brousse capturant à mains nues des lions à gueule énorme pour les zoos d'Europe. Sur d'autres, le même oncle Archibald se taillait à la machette un sentier dans la jungle, son éternel foulard à pois autour du cou, suivi de porteurs indigènes ployant sous le poids d'une énorme défense d'éléphant.

– Ma dernière chasse, dit-il comme pour s'excuser. De ce jour-là, je n'ai plus jamais tué un animal de ma vie. J'ai décidé de me consacrer à la sauvegarde des espèces en voie de disparition et de faire de Keays Castle une réserve où elles puissent vivre en liberté.

– C'est comme moi, approuva P. P. À l'internat, j'élève une colonie de têtards dans une vieille boîte de cassoulet.

« En fait d'espèce en voie de disparition, P. P. Cul-Vert mériterait un zoo à lui tout seul. Les touristes viendraient du monde entier lui jeter des cacahuètes et des bananes épluchées », pensai-je en m'abritant derrière mon livre pour pouffer.

– Pardonnez ma curiosité, mon oncle. Qui est cet homme à mine patibulaire qu'on aperçoit sur cette illustration ? L'un de vos assistants ?

Le personnage qu'il montrait portait une longue barbe noire taillée en pointe, des sourcils épais comme des moustaches et des yeux en lames de couteau.

L'oncle Archibald eut une grimace de dépit.

– Mon meilleur élève. Le plus doué. Le plus cupide aussi. J'ai dû le rosser pour ramener vivant ce brave Sherlock dont il voulait vendre la peau pour faire un sac à main.

– Quelle horreur ! frissonna Mathilde en caressant le chuchurda.

– Depuis, c'est mon ennemi juré, un rival acharné à ma perte. Voilà quelques années qu'il n'a plus fait surface, mais je ne connais pas d'homme plus cruel qu'Anton Semaphorius.

– Semaphorius ? m'écriai-je. Mais c'est le nom que j'ai lu sur le bateau de pêche !

En quelques mots, nous rapportâmes à l'oncle Archibald notre rencontre de l'après-midi.

– Ainsi, il est revenu ! s'exclama-t-il sombrement en grinçant des dents. Il m'épie en attendant son heure.

– Mais que peut-il chercher à Keays Castle ? demanda Mathilde.

– Je n'en ai pas la moindre idée.

– Moi, je sais, mon oncle, intervint doctement P. P. Il cherche le monstre.

Archibald eut un sursaut :

– Le monstre ? Quel monstre ?

– Nessie, mon oncle. Le monstre du Loch Ness.

– Ridicule, mon cher neveu, s'emporta l'oncle Archibald, soudain rouge de colère. Vous me décevez, Pierre-Paul. Ces fariboles ne sont pas dignes de vous.

– Mais, mon oncle…

– Ces grotesques histoires de monstres ne sont que des calembredaines, croyez-moi ! J'ai assez étudié la nature pour pouvoir être formel : il n'y a pas plus de monstre dans le loch que de raison dans votre jeune cervelle d'étourneau !

La fureur le rendait écarlate. Stupéfait, P. P. restait sans voix, ouvrant et refermant la bouche comme une grosse carpe hors de l'eau.

– Que je ne vous entende plus jamais prononcer le mot de monstre devant moi, Pierre-Paul ! Est-ce bien compris ?

L'oncle Archibald se leva sans attendre de réponse pour fourrager rageusement dans le feu. J'en profitai pour regarder Mathilde qui haussa les épaules en signe d'incompréhension. Que lui arrivait-il tout à coup ?

– Maintenant, si vous voulez bien m'excuser, je dois me rendre à mon laboratoire, ajouta-t-il en reprenant lentement son calme. Cornelia vous conduira à vos chambres. Je vous souhaite une bonne nuit.

Tournant les talons, il passa devant nous, plus raide que s'il avait avalé son parapluie, et quitta le salon.

Avant même que nous ayons eu le temps de revenir de notre surprise, l'inévitable Cornelia fit son apparition, un chandelier à la main. Vu la taille de ses paumes, elle l'aurait tordu aussi facilement que s'il avait été en marshmallow.

Apparemment, ça n'était pas le moment de discuter. Encadrant ce pauvre P. P. encore sous le coup de la dégelée qu'il venait de recevoir, nous regagnâmes nos chambres, suivis à bonne distance par l'ombre du chuchurda.

Celle de P. P. se trouvait dans l'aile opposée à la nôtre. Était-ce une impression ou voulait-on nous séparer ? J'entendis distinctement une clef tourner dans ma serrure avant que ne s'éloignent les pas de Cornelia. J'essayai d'ouvrir la porte : fermée à double tour.

Heureusement, il restait le passage sous la tenture. J'en tournai la poignée : impossible de l'ouvrir. De l'autre côté, Mathilde essayait de faire de même sans plus de succès. Quelqu'un avait verrouillé la porte de communication en notre absence.

C'était à n'y rien comprendre. Pourquoi l'évocation du monstre avait-elle provoqué la fureur de l'oncle Archibald ? Que cherchait-on à nous cacher ? Pourquoi Anton Semaphorius patrouillait-il sur le loch dans une embarcation hérissée d'antennes et camouflée en navire de pêche ?

Comme un écho à mes interrogations, un rugissement lointain se fit entendre. Le lion.

Pourquoi hurlait-il ainsi la nuit, alors que dans la journée nous ne l'avions jamais entendu ?

La réponse était simple : quelqu'un devait rôder autour de la fosse. Mais qui ? Anton Semaphorius ?

M'approchant de la fenêtre, je collai le nez au carreau. Peine perdue. La nuit noyait le parc, de gros nuages masquaient la lune. Impossible de voir quoi que ce soit.

Et pourtant... Écarquillant les yeux, je tentai de percer le rideau de pluie et d'obscurité. Cette lueur là-bas, tout au fond du parc... Avais-je la berlue ? Une petite lumière tremblotante comme celle d'une lanterne se baladait du côté de la fosse au lion.

Il y eut un nouveau rugissement, puis plus rien. La nuit retomba, épaisse et impénétrable.

Cette fois, j'en avais assez. Les questions s'embrouillaient dans ma tête. Je m'allongeai tout habillé sur le lit et sombrai aussitôt dans un sommeil de brute.

12

L'inconnu du village

– Pierre-Paul, il se passe ici des choses plutôt bizarres.

Nous terminions notre petit déjeuner, tassés au bout de la grande table pour échapper à la surveillance de Cornelia. Le chuchurda ne quittait plus Mathilde. Assis à côté d'elle, il grignotait des toasts, clignant vers nous de ses yeux rouges de musaraigne, la queue battant la mesure sur la table. Par instants, il sautait sur ses pattes de derrière, se lançait sur le bois ciré à la manière d'un attaquant de hockey, se rattrapant au dernier moment à une branche du lustre où il restait pendu d'un bras, se balançant mollement d'avant en arrière en poussant de petits glapissements suraigus. Un diable de quarante centimètres de haut tout au plus, au masque triangulaire et soyeux, agité de soubresauts continuels comme un jouet mécanique remonté à fond...

– Résumons-nous, continua Mathilde en tendant à Sherlock un petit morceau de sucre. L'apparition de ce Semaphorius, d'abord, et de son mystérieux bateau de pêche. La réaction de ton oncle, ensuite, à l'évocation de Nessie. Enfin, cette lumière qu'a vue Rémi. J'ai beau retourner tout ça dans ma tête, je n'y comprends rien. On cherche à nous cacher quelque chose, mais quoi ?

– J'ai beaucoup réfléchi, moi aussi, dit P. P. en trempant une mouillette dans son chocolat. Et si l'ignoble Semaphorius était un espion à la solde d'une puissance étrangère envoyé pour m'extorquer ma recette de morue gratinée aux groseilles ?

Dans sa robe de chambre molletonnée, les cheveux dressés sur le crâne, on aurait dit un gros hibou tombé du nid.

– Ridicule. Semaphorius était l'élève de ton oncle, un spécialiste de la faune, pas un empoisonneur... À mon avis, c'est de ce côté-là qu'il faut chercher. Imaginons qu'il y ait ici un animal extrêmement rare. Un spécimen recherché par tous les zoos du monde et dont ton oncle serait l'unique propriétaire...

– Le chuchurda ! m'exclamai-je.

– Semaphorius loue un bateau, guette le moment

opportun depuis le loch et s'introduit la nuit dans le parc pour tenter de s'en emparer. Seulement, ce brave Sherlock est introuvable, et pour cause : il a passé la nuit dans ma chambre.

– Dans ta chambre ? Mais c'est très malsain ! s'exclama P. P., un peu vexé de voir ses hypothèses mises en pièces. Tu n'as pas idée des microbes dégoûtants et des parasites qui grouillent sur cette bestiole !

– Pas du tout. Il est mignon comme un cœur et aussi inoffensif qu'un nounours en peluche. En plus, il m'adore.

Mathilde est exaspérante quand elle est comme ça. La moindre boule de poils sur pattes la rend gâteuse. Mais son raisonnement se tenait. Quelle meilleure vengeance pour l'ancien élève de l'oncle Archibald que de transformer le chuchurda en toque à oreillettes ou en manchon fourré ? À la réflexion, Anton Semaphorius m'en devenait presque sympathique. D'autant que le chuchurda venait de sauter sur mon épaule et avait entrepris de m'épouiller avec un ricanement glouton.

– Tu oublies Nessie, riposta P. P. S'en prendre à un misérable homoncule quand les eaux du loch abritent une créature préhistorique, le dernier survivant des grands dinosaures disparus ?

– Tu commences à me bassiner avec ton monstre,

fit Mathilde. Ton oncle a pourtant été clair, hier soir.

– Un peu trop, à mon avis. C'est justement ça qui me chiffonne. Comme s'il avait voulu…

– Voulu quoi ?

Mais P. P. Cul-Vert adore les mystères et les sous-entendus. Il refusa d'en dire plus, se murant dans un silence qui ne présageait rien de bon. Quand P. P. a cet air-là, c'est que de grandes catastrophes planétaires se préparent.

Notre plan d'action était tracé en tout cas.

Nous passâmes la matinée au bord du loch à guetter le bateau d'Anton Semaphorius tandis que P. P., du cambouis jusqu'aux coudes, pataugeait dans la vase pour installer sa cornemuse aquatique.

Le temps était couvert, un fin crachin masquait la vue, estompant les murs en ruine du petit château qui se dressait sur l'île, au milieu du loch, à portée de jumelles.

– Kilarn'agh, dit P. P.

– À tes souhaits.

– C'est le nom de ce castel abandonné. Les gens d'ici disent qu'il est hanté depuis la mort de son propriétaire, un vieux chef de clan à demi fou. Aucun pêcheur ne se risquerait à y aborder.

Le vol de corneilles qui tournoyait au-dessus de la tour à demi effondrée leur donnait plutôt raison.

Nous eûmes beau guetter de longues heures, seuls quelques canards et le dos lustré d'un couple d'otaries vinrent troubler la surface du loch. Le temps était-il trop morose ? Le chalutier ne se montra pas. Quant à la cornemuse révolutionnaire de P.P., elle n'eut qu'un bref et inoubliable instant de gloire : quand P.P. la brancha, une sorte de couinement déchirant se fit entendre, suivi d'une pétarade d'explosions et de flammèches vert et bleu. Le frisson d'un court-circuit géant parcourut la machine, puis elle s'abîma lentement dans les eaux en glougloutant comme un bateau qui sombre.

– J'avais pourtant tout calculé, répétait le pauvre P.P., anéanti, en contemplant le désastre. Une cornemuse de collection… Oncle Archibald sera furieux quand il découvrira sa disparition.

– Attends, je vais la repêcher. Une fois sèche, ton oncle n'y verra que du feu.

Je dus à mon tour patauger dans la vase pour tirer l'instrument à sec. Il n'avait pas fière allure : le sac en peau de mouton était gorgé comme une outre, l'eau s'échappait par les tuyaux en petites fontaines joyeuses. Je débranchai les fils qui le reliaient au moteur et nous le laissâmes égoutter, suspendu à un clou de la cabane comme un trophée de chasse de l'oncle Archibald.

Au moins, pensai-je, nous avions eu la peau de

cette sale bête. Elle ne nous casserait plus les oreilles avant longtemps.

– Nous ne verrons rien aujourd'hui, décréta P. P. Allons plutôt au village. J'ai hâte de découvrir ce que donnent mes dernières photos.

De retour au château, il dégotta deux vélos qui occupaient leur retraite à rouiller paisiblement dans le fond d'un hangar.

Je pris Mathilde sur ma selle, P. P. enfourcha l'autre vélo et nous partîmes dans d'horribles grincements.

Le village était à vingt bons kilomètres, une petite pluie fine s'était mise à tomber.

J'ai des mollets d'acier, mais Mathilde plus le chuchurda, ça fait beaucoup pour un seul homme. Sherlock avait sauté lestement sur mon porte-bagages, serrant sur son petit visage de gnome un fichu de plastique. J'avais beau me déhancher et souffler comme un phoque, il nous fallut près d'une heure pour arriver à Keays.

Le village comptait à peine une douzaine de maisons. Nous garâmes les bicyclettes près d'une petite boutique à toit de chaume qui servait d'épicerie, de poste et de bureau de tabac. Impossible d'entrer avec le chuchurda : la marchande en aurait fait une attaque.

– Aucun risque, dit P. P. Un jour, mon oncle a sellé un zèbre pour venir acheter ses cigares.

Mathilde resta quand même à la porte. À l'instant où j'entrais dans l'épicerie avec P. P., un client en sortait. Il me bouscula sans vergogne, grommela quelque chose d'indistinct avant de s'éloigner à grands pas dans le soir qui tombait.

– Hé! criai-je en me frottant l'épaule. Pourriez faire attention, non, espèce d'Écossais!

L'homme avait disparu au coin de la rue. Pas assez vite cependant : j'avais déjà vu cette tête quelque part. Mais où ?

Un peu troublé par cette rencontre, je laissai P. P. palabrer dans son anglais le plus pur. Ses photos étaient prêtes. Il en profita pour se ravitailler en chocolat et sardines à l'huile, enfourna le tout dans son sac à dos et nous sortîmes.

– Bon sang ! m'écriai-je en me frappant le front. Anton Semaphorius !

– Quoi ?

– Le type, là, celui qui m'a bousculé ! J'en mettrais ma main au feu : c'était Anton Semaphorius !

– Tu en es sûr ?

– Certain ! J'ai reconnu la barbe, les yeux de fouine qu'on voit dans le livre de ton oncle.

Nous eûmes beau faire le tour du village à vélo, il s'était bel et bien volatilisé.

Mais, cette fois, il n'y avait plus de doute : Anton Semaphorius rôdait dans les parages. Quel que fût le mauvais coup qu'il préparait, il fallait plus que jamais ouvrir l'œil, et le bon.

Pédalant comme des dératés, nous revînmes à fond de train au château.

(13)

Sherlock est en danger

Ce soir-là, pas d'oncle Archibald.

Nous étions arrivés pour le thé avec plus d'une heure de retard. Avait-il décidé de le prendre sans nous attendre ? S'était-il fait servir dans son laboratoire ? Mystère et boules de gomme.

J'en profitai pour me rendre discrètement au salon, fauchai un jeu de cartes abandonné sur la table de bridge, et revins à la salle à manger. Pas question de nous laisser enfermer comme la veille.

Après une collation rapide, nous regagnâmes chacun notre chambre sous bonne escorte. Avant que Cornelia n'ait eu le temps de donner un tour de clef dans la serrure, j'avais inséré un as de pique entre le chambranle et le pêne.

J'avais vu faire ça dans un film. On a beau dire, la culture, c'est bien utile quelquefois. J'attendis que les pas de Cornelia se soient éloignés et manœuvrai la poignée : la porte s'ouvrit sans difficulté.

Mathilde et moi filâmes jusqu'à la chambre de P.P.

– Qui est là ? interrogea-t-il à travers la porte.

– C'est nous, imbécile.

– Qui, vous ?

– Rémi et Mathilde, espèce de particule ! Ouvre vite !

– Pas sans le mot de passe.

– Mais quel mot de passe ?

– *Pierre-Paul est grand et Rémi est un âne.*

J'aurais pu le tuer... Mais il fallut bien me résoudre à répéter le mot de passe. La porte s'ouvrit aussitôt, et le sourire ignoble de P.P. se profila dans l'embrasure.

– Je me disais bien que j'avais reconnu ta voix. Mais deux précautions valent mieux qu'une, on ne sait jamais.

Deux bougies brûlaient sur sa table de chevet, encadrant une photo de P.P. Cul-Vert à la dernière remise des prix du collège. Chaque fois qu'il passait devant, P.P. s'inclinait avec dévotion, comme s'il avait rendu hommage à quelque dieu vivant, étranglé dans une grosse cravate à pois et les lunettes étincelantes de fierté.

– Je ne peux pas y croire, murmurai-je.

– Trêve de plaisanterie, coupa Mathilde avec autorité. Tu as étudié les photos ?

– Elles sont là. C'est la série qui a été prise la nuit de votre arrivée. Je ne sais pas ce qui s'est passé, mais le flash n'a pas marché.

– Du grand art, Pierre-Paul, ricana Mathilde en parcourant la série de clichés.

– Tu sais, le déclenchement automatique est très sensible. Il suffit d'un oiseau de nuit ou d'une feuille morte pour que l'appareil se mette en marche.

J'étudiai à mon tour les photos. L'ensemble aurait pu s'appeler « Nuit noire dans un tunnel ». C'est à peine si on devinait de-ci de-là quelques minuscules grumeaux de lumière flottant dans une purée de pois.

– Attends, dit Mathilde, soudain intriguée. Repasse-moi celle-là. On dirait que… Mais oui, regardez ! Cette grappe de points lumineux : on dirait la tour de Kilarn'agh !

– La ruine sur l'île ? Impossible : elle est abandonnée depuis un siècle au moins.

Mais P. P. se trompait. À la loupe, c'était net : de l'endroit où la photo avait été prise, les lueurs ne pouvaient venir que de Kilarn'agh. Malgré la malédiction qui pesait sur ces ruines, quelqu'un devait y habiter.

– Tu as raison, s'exclama P. P. à son tour. Ça me

rappelle un roman de Jules Verne, *Le Château des Carpathes*. L'action se situe au XIXe siècle, en Roumanie. Une ruine abandonnée domine le village et, la nuit...

– Ce n'est vraiment pas le moment, Pierre-Paul, coupa Mathilde avec agacement. Garde ton érudition prodigieuse pour les cours de français, s'il te plaît. Rémi m'a déjà fait le coup avec son histoire d'orang-outan psychopathe.

Au même instant, un rugissement déchira la nuit.

Quelqu'un rôdait à nouveau du côté de la fosse au lion.

Me ruant à la fenêtre, je l'ouvris et me penchai en tordant le cou pour tenter d'apercevoir quelque chose. Mais la chambre de P. P. donnait sur la face ouest du château et je ne réussis qu'à me faire doucher par les rafales de pluie.

– Le chuchurda ! s'écria alors Mathilde. Où est passé le chuchurda ?

– Il était encore avec nous pour le thé. J'ai cru qu'il était monté avec toi.

– Il a dû sortir sans qu'on s'en aperçoive, gémit Mathilde. Le pauvre chéri : tout seul dans la nuit !

Déjà, elle avait attrapé une lampe-torche, enfilé son caban et elle courait vers la porte.

– Vite, au parc ! Le chuchurda est en danger !

– Si tu crois que je vais sortir par ce temps pour

cette espèce de peluche mitée... tentai-je de protester.

– Le lion a rugi! Semaphorius est dans le parc!
À l'heure qu'il est, ce pauvre Sherlock est peut-être
déjà transformé en pantoufles! Je vous préviens, je
ne vous le pardonnerais jamais s'il devait lui arriver
malheur...

– Je suis encore en pyjama! geignit P. P. Laisse-
moi au moins le temps d'enfiler quelque chose.

Mais Mathilde dévalait déjà l'escalier, la torche à
la main, pour voler au secours de son chuchurda.

Maugréant et pestant à qui mieux mieux, nous
nous lançâmes à sa poursuite.

(14)

Dans la fosse au lion

Essayez de rattraper quelqu'un de nuit, dans un parc de huit cents hectares plein de taupinières traîtresses et d'animaux sauvages en liberté !

Il tombait des cordes, le vent hurlait dans la cime des arbres. En deux minutes, j'avais perdu P.P. Je commençai par m'étaler dans un massif, plongeai tête baissée dans un buisson de houx, puis dévalai sur les fesses une portion de gazon plus glissante qu'une planche à savonner.

Comme je me relevais, un museau humide et râpeux se colla contre mon cou. Je poussai un cri, me retournai pour voir un zèbre apeuré détaler au grand galop, papillonnant vers moi de ses longs cils comme s'il avait vu le diable en personne.

Les jambes flageolantes, je poursuivis mon chemin, cherchant à repérer la torche de Mathilde. Des choses bougeaient dans les buissons, des branches craquaient. Malgré la pluie, il me sembla même apercevoir des yeux phosphorescents qui me guettaient à travers les fougères.

Sans demander mon reste, j'entamai le sprint aveugle le plus rapide de toute l'histoire de l'humanité.

Mais un bref coup d'œil en arrière suffit à me glacer les sangs : les yeux phosphorescents gagnaient du terrain !

Je tentai d'accélérer, mais mon pied dut se prendre dans une souche. Je fis un vol plané, esquissai une réception de judo, découvrant un peu tard que le sol boueux se trouvait désormais à l'extrémité opposée de mes pieds…

Le choc fut rude. Déjà les yeux phosphorescents étaient sur moi, m'inondant d'une lumière éblouissante.

– Eh bien, qu'est-ce que tu attends ? Monte ! lança une voix.

C'était P. P., au volant de la petite voiture de golf. Le lâche n'avait pas osé se risquer à pied dans le parc. À demi groggy, je grimpai à côté de lui et me cramponnai au montant.

– À la fosse au lion ! hurla P. P. en mettant les gaz.

Dans le pinceau des phares, le spectacle était encore plus impressionnant. Les buissons s'ouvraient devant nous comme par miracle, de gros troncs noueux semblaient sauter de côté à l'instant où nous allions les emboutir. Au sommet d'une petite butte, la voiture décolla, retomba sur ses roues avec un horrible grincement d'essieux. Lancés comme une boule dans un jeu de quilles, nous traversâmes en trombe un troupeau de gazelles endormies. Une seconde, elles restèrent pétrifiées, les cuisses tremblantes, avant de s'éparpiller en tous sens dans une fuite éperdue.

Je ne voulais pas voir ça. La main plaquée sur le visage, j'attendis le carton, mâchoires serrées.

Mais rien ne vint. Quand je rouvris les yeux, la voiture freinait devant la fosse au lion.

– Il faudra vraiment que j'essaie le karting un de ces jours, dit P. P. avec désinvolture en sautant à terre. Je crois que j'ai un don.

– Vous voilà enfin ! Vous en avez mis du temps ! râla Mathilde en braquant sa lampe-torche sur mon visage. Ça fait une bonne demi-heure que je poireaute ici.

– Je te signale qu'on a manqué se tuer au moins douze mille fois.

– Quand tu auras fini de te plaindre, tu pourras m'écouter : quelqu'un vient de descendre dans la fosse au lion. Il faut le suivre.

– Dans la fosse ? glapit P. P. Mais tu es folle ! Si le lion nous surprend, on risque gros !

– Toi surtout, dit Mathilde avec un petit rire.

– Pardon : je ne suis pas gros. Je fais juste un peu de surcharge pondérale, ce n'est pas la même chose.

– Alors allons-y. Faites-moi confiance, nous ne risquons absolument rien, lança Mathilde en escaladant le grillage, la torche entre les dents.

Qu'est-ce qui peut pousser deux garçons sains d'esprit (dont un en pyjama et babouches) à sauter en pleine nuit le grillage de protection d'une fosse au lion pour les beaux yeux d'une fille ?

Ne me posez pas la question : je n'en sais rien du tout. La crainte de passer pour un trouillard, peut-être... Ou le désir de savoir qui pouvait bien rôder la nuit dans le parc...

Toujours est-il qu'en moins de deux j'étais de l'autre côté. Il fallut faire la courte échelle à P. P. qui tremblait comme une feuille. L'escalade n'a jamais été son fort, mais pour une fois, je me réjouissais de l'avoir avec nous : avec un peu de chance, vu la quantité de sandwichs aux rillettes qu'il avait engloutis, ce serait lui que le lion choisirait en premier. Ça nous laisserait le temps de déguerpir.

Le fond de la fosse formait une sorte de boyau en ciment, qui descendait en pente douce jusqu'à un amas de rochers moussus sous lequel il disparaissait. Là s'ouvrait l'antre du lion.

Sans hésiter, Mathilde s'engagea dans l'ouverture.

Que faire ? La suivre ? Détaler comme un lapin en l'abandonnant dans ce boyau ruisselant d'humidité ? J'imaginais le lion tapi dans l'obscurité de la grotte, ses grosses mâchoires béantes, se léchant déjà les babines à la pensée de déguster trois jeunes collégiens de quatrième...

Mais il était trop tard pour faire machine arrière. Poussant courageusement P. P. devant moi, j'entrai à mon tour dans la grotte.

Le plafond en était très bas. Si bas que la tête de P. P. heurta la roche, provoquant un étrange bruit métallique.

— Ton crâne, ne pus-je m'empêcher de murmurer en pressant son coude. Il sonne creux.

— Idiot : ce sont de faux rochers. Regarde.

La torche que Mathilde promenait sur les murs révélait en effet un étrange spectacle. En fait de grotte, nous venions d'entrer dans une petite pièce voûtée, aux murs vert-de-gris comme un camouflage militaire. Pas de trace de paille ou de litière, ni cette odeur de fauve qui prend le nez au zoo.

— J'en étais sûre, dit Mathilde. Il n'y a jamais eu de lion ici.

— Mais les rugissements ?

— Un cri enregistré. En vous attendant, j'ai découvert un haut-parleur dissimulé dans un buisson.

— Tu aurais pu nous mettre au courant, tout de

même ! protesta P.P. J'étais déjà prêt à céder par testament ma précieuse collection de timbres à ma sœur Rose-Lise.

– Chut ! fit Mathilde en braquant sa lampe vers le fond de la grotte. Il y a quelqu'un de l'autre côté.

La pièce s'achevait sur une épaisse porte métallique, flanquée d'une poignée circulaire comme les écoutilles de sous-marin.

Je tentai de la manœuvrer, mais elle était si lourde que nous dûmes unir nos forces pour la faire bouger de quelques millimètres.

Enfin, le mécanisme joua, libérant la serrure, et la porte s'ouvrit dans un bâillement sinistre tandis qu'une lumière glauque de piscine inondait la grotte.

(15)

Le secret d'oncle Archibald

– Pierre-Paul ! Miss Blondine ! Pheramone !

La stupeur nous cloua sur place.

Devant nous s'ouvrait un petit laboratoire souterrain, encombré de fioles et d'instruments de mesure. Un grand bassin vitré en occupait le centre, une sorte d'aquarium géant recouvert d'une bâche à mi-hauteur. En blouse blanche, chaussé de bottes de caoutchouc, un homme debout sur un tabouret mesurait la température de l'eau à l'aide d'un thermomètre.

C'était l'oncle Archibald, le chuchurda perché sur son épaule.

– Les enfants ! Que faites-vous ici ? s'exclama-t-il.

Il n'avait pas l'air vraiment fâché. Seulement surpris de nous voir surgir dans son repaire, ruisselants et prêts à la bagarre.

Que fabriquait-il dans cet abri souterrain ? Que

signifiait cet étrange décor ? Une pompe électrique glougloutait dans un coin, des tuyaux de couleur plongeaient dans le bassin, reliés à une machine où clignotaient des voyants.

Parlant tous ensemble, nous lui racontâmes la rencontre avec Anton Semaphorius au village, les rugissements dans la nuit, les lumières près de la fosse au lion.

– Ma lanterne, expliqua l'oncle Archibald. Je viens travailler ici tous les soirs. Comme vous l'aviez deviné, il n'y a jamais eu de lion dans cette fosse. Seulement un rugissement enregistré pour écarter les intrus… Une supercherie bien inutile, n'est-ce pas ? ajouta-t-il en contemplant avec amusement notre petite équipe. Mais puisque vous avez percé à jour mon secret, autant tout vous révéler. Jurez-moi seulement que ce que vous allez voir ne sortira jamais d'ici.

Chacun à notre tour, nous crachâmes par terre en levant la main droite.

– Bien. Maintenant, préparez-vous à éprouver la plus grande surprise de votre existence, dit l'oncle Archibald, les yeux brillants d'excitation.

Il s'approcha du bassin vitré et, d'un geste triomphal, fit lentement glisser la bâche qui le recouvrait.

– Mes jeunes amis, permettez-moi de vous présenter l'unique spécimen connu de *Tyrannodon culbertus.* Ou pour employer le langage de mon cher neveu : le fils de Nessie, le monstre du Loch Ness.

Avant que nous ayons le temps de réaliser le sens de ses paroles, la bâche tomba au sol.

Dans l'eau trouble de l'aquarium, éclairé par une lampe immergée, nageait le plus extraordinaire animal de toute la création.

Comment le décrire ? On aurait dit un jeune diplodocus comme on en voit dans les livres d'histoire : une petite tête pointue, un cou interminable, un corps luisant et palmé comme celui d'une otarie qui se mouvait dans l'eau avec une grâce inimaginable pour une bête de cette taille.

– Le… le fils… le fils de Nessie ? bégaya P.P. en contemplant la créature avec ahurissement.

– En personne, dit fièrement l'oncle Archibald. Six mois tout au plus, selon mes toutes premières observations, mais déjà près de deux cents kilos.

Le tyrannodon roulait doucement contre la paroi vitrée de l'aquarium, nous observant de ses grands yeux doux et apeurés. Sa peau était lisse comme celle d'un bébé, d'un rose tirant légèrement sur le roux.

– Comme il est chou ! murmura Mathilde en joignant les mains de ravissement. Quelle adorable petite chose !

— Ne vous y trompez pas : ses petites dents sont plus coupantes qu'un rasoir. Il vous emporterait la main sans le vouloir.

Puisant dans un seau, il avait entrepris de nourrir son protégé, jetant dans l'aquarium des harengs que le tyrannodon gobait d'une seule bouchée comme des friandises.

— Vous comprenez maintenant les précautions dont je m'entoure. Cet animal et ses parents sont les derniers rescapés des grands dinosaures de la préhistoire, réfugiés dans les eaux du loch depuis des millénaires sans doute. C'est la première fois qu'il est donné à un savant de pouvoir en étudier un spécimen vivant.

— Mais vous prétendiez... commença P. P.

— Que le monstre du Loch Ness n'existe pas ? Un pieux mensonge, mon cher neveu. Je n'avais aucune envie de vous voir fureter partout. J'ai cru que la présence de vos amis vous détournerait de vos recherches et que je pourrais poursuivre en paix mes travaux.

Il se tourna vers nous, le visage soudain grave.

— Voilà plus de dix ans que je mène des recherches sur Nessie. En vain, malheureusement. Et puis, il y a quelques semaines, j'ai découvert par hasard ce jeune tyrannodon échoué sur la berge. Il s'était pris dans un filet de pêcheur dont il ne parvenait plus à se libérer. Sans mon intervention, la pauvre bête serait morte. Je l'ai conduite à mon laboratoire, soignée, nourrie d'un mélange de lait et de farine de poisson. Comme vous pouvez le voir, elle se porte aujourd'hui comme un charme.

– Mais alors, s'écria P. P., les de Culbert vont devenir mondialement célèbres !

L'oncle Archibald secoua la tête.

– Pas question, mon cher neveu. Lorsque j'aurai terminé mes observations, ce jeune tyrannodon rejoindra librement les eaux du loch, et nul n'en saura jamais rien.

– Vous voulez dire que vous garderez pour vous cette sensationnelle découverte ? Que vous refuserez la gloire ? La fortune ?

P. P. n'en revenait pas.

– Le tyrannodon n'a pas fait ce long voyage à travers les siècles pour finir derrière la vitre d'un zoo, mon garçon. Il est de mon devoir de lui rendre sa liberté.

– Laissez-moi au moins le prendre en photo !

– Non, Pierre-Paul. Son existence doit rester secrète sous peine d'attirer ici tous les chasseurs de la création.

– Comme Anton Semaphorius ?

– Oui, Miss Blondine. Vous comprenez mieux, maintenant, mon inquiétude en apprenant que mon vieil ennemi rôde dans les parages. Je connais Anton : il est capable de tout pour s'emparer du tyrannodon et le vendre au plus offrant.

Il avait raison. Si fantastique que soit l'animal que nous contemplions, je ne donnais pas cher de sa peau s'il devait tomber entre les mains d'individus sans scrupule. L'oncle Archibald était un savant, il avait résolu le mystère du monstre du Loch Ness. Seuls P. P., Mathilde et moi devrions rester témoins de sa découverte fabuleuse.

– Maintenant il est tard, dit l'oncle Archibald. J'ai encore du travail. Rentrez au château et essayez de dormir. Je compte sur vous, n'est-ce pas ? Pas un mot à quiconque.

– Vous avez notre parole, mon oncle, dit solennellement P. P. Même si l'on me soumettait à la torture de la diète, je ne dirais rien.

Et, comme pour sceller notre pacte, nous étendîmes la main droite tous ensemble au-dessus de l'aquarium.

– *Fabulas, fabulis*, récita P. P., que je sois transformé en hamster si je mens.

(16)

Alerte rouge

Quand je parvins à m'endormir cette nuit-là, ce fut pour sombrer dans une suite de rêves sans queue ni tête où se mêlaient le tyrannodon, le chuchurda (il somnolait tranquillement sur le couvre-lit de Mathilde quand nous avions regagné le château) et un monstrueux hamster qui portait sur le museau les lunettes de P.P.

– Au secours! hurlai-je en me débattant comme un beau diable. Une bête ignoble!

– Ce n'est que moi, fit la voix de P.P. Réveille-toi, Rémi.

En le voyant à genoux sur mon lit, tout habillé, je compris instantanément qu'il se passait quelque chose.

– Quelle heure est-il? articulai-je.

– Six heures et quart. Debout, gros paresseux.

Enfile quelque chose et suis-moi. Vite, Mathilde nous attend.

– Six heures et quart ? répétai-je, incrédule. Un jour de vacances ?

– Les vacances sont finies, mon brave Pharamon. Alerte rouge. Vite, le temps presse.

Comme un somnambule, je tombai à bas du lit, cherchant à reprendre mes esprits. Les événements de la nuit mêlés à mon cauchemar formaient dans ma tête une bouillie informe. Alerte rouge ? Que voulait-il dire par là ?

– Pas le temps. Je t'expliquerai en chemin.

Titubant dans mes baskets délacées, je dégringolai l'escalier à sa suite. Où était Mathilde ? À quoi rimait ce sac à dos qui bringuebalait sur les épaules de P. P. ?

Dehors, le jour pointait à peine. Le brouillard envahissait le parc, estompant la cime des grands arbres. On n'y voyait pas à dix mètres. L'air était frais et me fit frissonner.

– Mais où va-t-on ?

Sans répondre, P. P. m'entraîna à travers les pelouses et je compris que nous descendions vers le loch.

– Et la voiture ? protestai-je.

– Par cette purée de pois ? Tu n'y penses pas. D'ailleurs, un peu de marche te réveillera.

En chemin, il consentit enfin à s'expliquer.

– C'est mon régime, commença-t-il. Je me suis réveillé vers quatre heures avec une petite faim et je me suis souvenu qu'il restait de la tarte aux fraises à la cuisine. Je descends donc à pas de loup, selon une vieille technique indienne dans laquelle je suis passé maître et...

– Abrège, P.P.

– Comme tu voudras. Bref, dans la cuisine, je tombe sur Mathilde. Elle ne pouvait pas dormir elle non plus. Après m'être frugalement restauré, je décide d'aller faire un tour avec elle du côté du laboratoire d'oncle Archibald, histoire de vérifier que tout va bien.

– Sans moi? Merci, les amis! Belle preuve de confiance!

– Tu dormais d'un sommeil de bête repue. Je ne me suis pas senti le courage de te tirer des bras de Morphée.

– Morphée? Qui c'est, celui-là?

P.P. leva les yeux au ciel.

– Pardon, mon pauvre Rémi. J'oubliais que ton vocabulaire ne dépasse pas les vingt-cinq mots. Apprends donc qu'il s'agit d'une expression qui signifie...

– P.P., avertis-je, je ne me sens pas d'humeur à supporter une leçon de français. Ne provoque pas le monstre qui sommeille en moi.

– D'accord. D'ailleurs, c'est sans importance. Voilà la fosse au lion, tu comprendras tout par toi-même.

En effet, le grillage de la fosse venait de surgir à travers le brouillard. Nous l'escaladâmes, descendîmes au fond du boyau et nous glissâmes par l'ouverture qui conduisait au laboratoire.

Mathilde nous y attendait au milieu d'un paysage de désolation.

On aurait dit que quelqu'un s'était acharné à saccager le laboratoire de l'oncle Archibald. Les fioles et les instruments de mesure gisaient à terre, le sol en ciment était couvert de débris de verre nageant dans plusieurs centimètres d'eau croupie.

Il ne me fallut pas longtemps pour comprendre d'où venait le début d'inondation. À l'exception de quelques algues racornies, l'aquarium était vide. Le tyrannodon s'était volatilisé.

– Mais que s'est-il passé ici ? m'écriai-je. Où est oncle Archibald ?

Mathilde eut une grimace d'agacement.

– Pas très difficile à comprendre. On l'a enlevé avec le tyrannodon.

– Enlevé ?

– Anton Semaphorius, sans aucun doute, fit Mathilde tandis que la petite tête hirsute du chuchurda pointait hors de la poche de son caban. Regardez : le bassin est relié au loch par une canalisation souterraine. C'est par là qu'il a dû faire sortir le tyrannodon.

– Mais comment l'a-t-il emporté? Une bête de deux cents kilos ne se transporte pas comme ce singe ridicule.

Cette fois, ce fut au tour de P.P. de hausser les épaules.

– D'abord, Sherlock n'est pas un singe ridicule. Ensuite, je te rappelle qu'Anton Semaphorius a affrété un bateau de pêche. Je parie trois bocaux de cornichons qu'il y a fait aménager un aquarium pour le tyrannodon.

– Il faut le retrouver, dit sourdement Mathilde. Pas question de laisser cet affreux bonhomme transformer le fils de Nessie en curiosité de foire.

– Tu oublies oncle Archibald. À l'heure qu'il est, mon pauvre tonton est aux mains de son pire ennemi.

– Prévenons la police, suggérai-je.

– Pour que tous les journaux en parlent? Je te rappelle que nous avons promis le secret à l'oncle Archibald.

Mathilde avait raison. Mais où chercher? Le loch est immense. Anton Semaphorius avait plusieurs heures d'avance sur nous. Autant chercher une aiguille dans une meule de foin.

– Réfléchissons, dit P.P. Un monstre préhistorique ne se dissimule pas si facilement. Il faut un lieu retiré, assez vaste pour y accoster en bateau et...

– P. P., m'exclamai-je, tu es un génie !

C'était si simple ! Comment n'y avions-nous pas pensé plus tôt ?

– Je sais, dit P. P. modestement tout en roulant des yeux ahuris. Mais qu'est-ce que j'ai dit ?

– Tes photos ! La pellicule que nous sommes allés chercher au village ! Le château des Carpathes !

– C'est la fièvre, dit Mathilde. Il délire.

– Mais non ! Rappelez-vous : sur l'une des photos, on voit des lumières sur l'île de Kilarn'agh. Or P. P. nous a dit qu'elle était abandonnée depuis des siècles ! Semaphorius est là, j'en suis sûr. Il s'est installé dans le château en ruine.

Tout se mettait en place.

L'appareil à déclenchement automatique de P. P. avait enregistré une présence dans l'île. Qui se serait amusé à affronter de nuit la malédiction pesant sur les lieux, sinon quelque malfaiteur sans scrupule, certain qu'on ne viendrait pas l'y déranger ?

– J'ai lu un vieux guide historique sur Kilarn'agh, acquiesça lentement P. P. en hochant la tête. Les souterrains du château abritent un bassin où les propriétaires remisaient leur bateau.

– Qu'est-ce que nous attendons, alors ? trépigna Mathilde. Filons à Kilarn'agh !

– Mais comment ? m'exclamai-je. L'île est à plusieurs kilomètres du rivage.

– Aucun problème, dit P.P. avec un sourire malicieux. Comme l'a dit ce bon Pharamon, n'oubliez pas que vous disposez d'un atout maître.

– Un atout ? Et lequel, je te prie ?

– Moi, ma chère Mathilde. Moi et mon cerveau surpuissant, capable de damer le pion aux esprits les plus machiavéliques.

Mathilde eut une grimace d'exaspération.

– Et comment comptes-tu te rendre sur l'île, ô génie surpuissant ? En cornemuse à voile ? En sous-marin gonflable ?

P.P. ignora ces basses attaques.

– Vous voulez sauver le tyrannodon, n'est-ce pas ? fit-il avec une moue triomphale. Alors, plus une minute à perdre. Le *Pierre-Paul II* nous attend.

(17)

P.P. à l'abordage

— Le *Pierre-Paul II* ? s'exclama Mathilde en retenant un fou rire nerveux. Tu ne veux tout de même pas dire que nous allons traverser le loch sur ce rafiot ?

— Sache, ma chère Mathilde, dit P.P. sans se troubler, qu'à partir de cet instant, je suis le seul maître à bord après Dieu. Toute mutinerie sera sévèrement châtiée.

Le *Pierre-Paul II* de P.P. était une vieille barque moisie datant au moins de l'arche de Noé. Dans le brouillard, je l'avais prise d'abord pour une souche échouée sous le ponton. Le fond de la barque disparaissait sous vingt centimètres d'eau, et il avait fallu écoper pendant une bonne demi-heure avec une boîte de conserve rouillée pour la remettre à flot.

– J'ignorais que tu avais retapé le *Titanic*, P.P., dis-je en sautant à bord.

Sous mon poids, l'épave se mit à tanguer dangereusement, provoquant les cris d'effroi de Sherlock. Tapie à l'arrière, Mathilde s'accrochait au plat-bord, le teint verdâtre.

– Ne comptez pas sur moi pour ramer, marmonnat-elle les dents serrées. Je crois que je vais vomir.

Il y avait juste un peu de vent, mais la surface du loch était agitée, la visibilité à peu près nulle. Debout à la proue, la main sur le foie comme Napoléon, P.P. Cul-Vert dirigeait la manœuvre.

– Souquez ferme, moussaillon, lança-t-il tandis que je larguais l'amarre. Un peu de nerf, par les cornes de Belzébuth !

– Attends, protestai-je. Pourquoi est-ce à moi de ramer ?

– Parce que tu es le plus fort, riposta-t-il du tac au tac. Musculairement, bien entendu...

Que répondre à un tel argument ? Je m'installai sur le banc de nage, m'emparai des rames en bougonnant. Il ne manquait plus que le battement du tambour marquant la mesure pour se croire dans une galère romaine transportant un gros consul, une passagère verdâtre et son singe de compagnie. Sauf que j'étais le seul dans le rôle de l'esclave.

L'eau s'infiltrait entre les planches disjointes de

la coque, alourdissant un peu plus la barque à
chaque coup de rames. Dire qu'il y a des gens qui
payent pour faire du vélo-rameur dans les salles de
gym ! J'avais beau m'escrimer, nous n'avancions
pas. Mathilde pesait comme un poids mort, le cœur
au bord des lèvres, le chuchurda gémissait, c'est à
peine si l'on distinguait maintenant la silhouette de
P.P. à l'avant de la barque tant le brouillard était
épais.

Nous devions être déjà au milieu du loch et l'île demeurait toujours invisible. Comment se repérer dans cette purée de pois ? Un fort courant faisait dériver la barque. Par instants, un choc sourd ébranlait la coque. Des branches immergées, peut-être... Ou Nessie profitant du brouillard pour venir culbuter notre coquille de noix et se venger du rapt de son petit tyrannodon... Comment savoir ? Mieux valait ne pas réfléchir, sous peine de faire machine arrière.

– Rémi, dit la voix lamentable de P. P., je crois que nous sommes perdus.

Au même moment, un craquement affreux retentit, suivi d'une secousse si violente que je fus précipité au fond de la barque.

Puis la brume se déchira soudainement, révélant la silhouette torturée des ruines de Kilarn'agh. Nous venions de nous échouer sur l'île.

– Mathilde, P. P., tout va bien ?

– Je crois, fit une petite voix. Sherlock n'a rien. Et Pierre-Paul ?

Un clapotis se fit entendre à droite de la barque. Sautant à terre, nous découvrîmes P. P. barbotant à quatre pattes dans la vase du rivage comme s'il avait perdu quelque chose.

– Catastrophe, gémit-il. Catastrophe...

– Tes lunettes ? demandai-je.

– Pire que ça : ma ration de survie... Un plein sac

de lapin aux morilles et de chou farci en conserve ! Tout a sombré au fond du loch.

Ainsi, c'était ça que j'avais entendu tintinnabuler dans son sac. P.P. était parti au combat lesté de cinq kilos de bocaux et de boîtes de conserve !

— Ça fera le régal de Nessie, dit Mathilde. De quoi te faire pardonner pour tes concerts de cornemuse... Maintenant, si tu as fini tes ablutions, nous pourrions peut-être passer aux choses sérieuses.

— En tout cas, remarquai-je, nous pouvons dire adieu au *Pierre-Paul II*.

La barque n'avait pas résisté à l'accostage : le bois pourri s'était disloqué, ouvrant la coque en deux comme une vulgaire noix de coco. En fait de choses sérieuses, nous étions coincés sur l'île, sans moyen de retour.

— J'espère que ta déduction était bonne, dit Mathilde comme si elle lisait dans mes pensées. Si nous ne trouvons pas Anton Semaphorius et son bateau de pêche, nous sommes condamnés à mourir de faim ici.

— Il reste encore Sherlock, remarqua P.P. en tordant ses habits gorgés d'eau. Rôti à petit feu, je suis sûr qu'il doit être tout à fait comestible.

— Sauvage ! hurla Mathilde. Si tu touches à un seul poil de cette pauvre bestiole, c'est toi qui finiras en brochette !

– Nous avons assez perdu de temps comme ça, intervins-je en les séparant. Cet endroit est lugubre, je n'ai aucune envie d'y traîner plus longtemps.

Les ruines de Kilarn'agh se dressaient sur un tertre rocheux, forme sinistre et menaçante.

Un endroit idéal pour se cacher, pensai-je avec un frisson. Aucun promeneur n'aurait été assez fou pour s'aventurer dans l'île.

Aucun, sauf nous… Mais il fallait sauver l'oncle Archibald et le tyrannodon.

En file indienne, nous prîmes le sentier qui sinuait entre les ajoncs.

(18)

Le château en ruine

Mathilde avait pris la tête, guidée par le chuchurda qui trottinait devant.

– On dirait qu'il sent quelque chose. Oncle Archibald ne doit pas être loin, pronostiqua P.P.

Je haussai les épaules.

– Parce que tu crois que je vais me fier à un singe grotesque ?

– Dans l'échelle de l'évolution, mon brave Pharamon, ce chuchurda a des années-lumière d'avance sur toi. Figure-toi que je lui ai appris à jouer aux échecs et que…

– Silence, ordonna Mathilde. Nous y sommes. Pas question de nous faire repérer.

Devant nous se dressait la façade du château, ou ce qu'il en restait : une lourde grille d'entrée, une porte vermoulue encadrée d'un mur d'enceinte partiellement effondré. Une cour envahie par les herbes, au fond une tour crénelée qui ne semblait tenir debout que par miracle.

Nous n'eûmes aucun mal à franchir les éboulis qui protégeaient la cour.

M'étais-je trompé ? Tout était silencieux, inhabité, à l'exception d'une colonie de corneilles qui s'échappa des créneaux en piaillant lugubrement. Les eaux du loch battaient en contrebas, et nous eûmes beau scruter le rivage depuis le mur d'enceinte, il n'y avait pas trace du bateau d'Anton Semaphorius.

– Regardez, dit soudain Mathilde en fouillant du pied entre les dalles. Les restes d'un feu ! Quelqu'un s'est abrité ici il n'y a pas longtemps.

Mais déjà le chuchurda l'entraînait vers la tour, glapissant et le poil hérissé comme celui d'un chat.

Il s'arrêta devant la porte cloutée qui en barrait l'accès, grattant furieusement le sol et nous jetant des regards désespérés.

Saisissant la poignée rouillée, je pesai dessus de tout mon poids. Rien à faire. Je réussis seulement à m'écorcher les doigts.

– Ils sont là-dedans, ragea Mathilde en s'y cassant les ongles à son tour. J'en donnerais ma main à couper !

– Attendez, dit P. P. en se grattant le front. À mon

avis, il s'agit juste d'un petit problème de physique élémentaire : poids du projectile multiplié par le carré de la vitesse... Laissez-moi faire.

Il ôta ses lunettes, les tendit à Mathilde puis, prenant trois pas d'élan, se jeta de toutes ses forces contre la porte.

Nous n'eûmes pas le temps de le retenir : le chambranle pourri céda sous son poids comme un cerceau de papier. Entraîné par son élan, P.P. avait traversé la porte à la vitesse d'un boulet de canon. Il y eut un long cri déchirant, le bruit d'une chute, puis plus rien.

– P.P.! m'écriai-je. Il est mort!

Sherlock s'était jeté à son tour dans le trou béant de la porte. Je m'y faufilai, suivi de Mathilde, tremblant de ce que nous allions découvrir de l'autre côté.

Soudain, le sol manqua sous mes pieds. Je dus me retenir à Mathilde pour ne pas tomber.

Un jour pauvre éclairait un escalier en colimaçon qui dégringolait vers les profondeurs de la terre. C'était par là que P.P. avait disparu, et, à sa suite, la queue blanche du chuchurda.

Agrippés l'un à l'autre, nous descendîmes une à une les marches glissantes, nous retenant aux murs gluants d'humidité. La luminosité baissait à mesure et, bientôt, nous fûmes dans le noir complet.

Je fouillai dans mes poches, pestant contre la promesse de ne pas fumer que j'avais faite à ma mère
avant de partir. Au moins, j'aurais eu des allu-
mettes.

– Rémi ! Tu n'entends rien ?

Je m'immobilisai brutalement, tâtonnant de la
pointe du pied. La volée de marches venait de laisser
place à une surface plane et lisse. Je tendis l'oreille,
percevant dans l'obscurité ce qui ressemblait à une
respiration haletante.

Mon sang se glaça instantanément dans mes veines :
il y avait quelqu'un juste en face de moi.

Puis la mollette d'un briquet grinça, une flamme
jaillit derrière mon dos, éclairant une salle voûtée
et une silhouette allongée sur le sol.

– P.P. ! criai-je. Mon vieux P.P. ! Tu n'as rien ?

C'était P.P. en effet, qui avait dévalé l'escalier sur
les fesses et gisait à demi assommé sur les dalles,
Sherlock sautant de joie sur son estomac comme
sur un trampoline.

– Écartez ce monstre de moi ! geignit P.P. Mon
petit corps douillet n'est plus qu'un énorme héma-
tome !

Mathilde récupéra Sherlock tandis que j'aidais P.P.
à se remettre sur ses jambes.

– Bah ! quelques bosses tout au plus, le consolai-je
en brossant son pantalon. Tu avais déjà celle des

maths... Tu n'es pas plus hideux que d'habitude, rassure-toi.

– Merci de ta sollicitude, grimaça P. P. J'ai dû faire une chute de cent mètres au moins, et sans mes délicats rembourrages naturels, je faisais une belle omelette !

– Pouah ! fit Mathilde. Quelle horrible vision : Pierre-Paul nageant dans les débris de sa cervelle comme un gros jaune d'œuf visqueux...

Je ne pus m'empêcher d'éclater de rire.

– N'empêche, dit P. P. en reprenant ses lunettes d'un air vexé. Sans moi, vous n'auriez jamais trouvé cette salle secrète.

À la lumière du briquet de Mathilde, nous explorâmes les lieux. On aurait dit un ancien cachot, aux murs lisses et suintants. Tout au fond, une grille ouverte gardait un étroit passage voûté qui s'enfonçait dans l'obscurité.

À en croire Sherlock et les bonds qu'il faisait sur le sol, c'était par là qu'il fallait continuer.

– Je vous préviens, marmonnai-je en m'y engageant, je commence à en avoir ma claque des souterrains et des passages dérobés. La prochaine fois que P. P. nous invitera pour des vacances, j'emporterai ma panoplie de rat d'égout.

Par chance, le tunnel était plus court qu'il n'y paraissait : une vingtaine de mètres tout au plus, au bout desquels nous débouchâmes dans une autre salle, minuscule cette fois.

Le temps d'habituer nos yeux à la pâle lumière qui tombait par une ouverture dans le plafond, et nous poussâmes un cri de triomphe. La pièce était à peu près nue, à l'exception d'un empilage de caisses qui encombraient le fond, recouvertes de vieilles toiles de marin et de cordages. Adossé à ce bric-à-brac, un bâillon sur la bouche et ficelé comme un saucisson, gisait l'oncle Archibald.

19

Pris au piège !

– Mes enfants ! s'exclama-t-il quand nous l'eûmes délivré. Je commençais à désespérer.

– C'était compter sans moi, dit P.P. Je n'y peux rien, l'héroïsme est ma seconde nature. Embrassez votre sauveur, cher tonton.

– Minute, dis-je tandis qu'ils se donnaient cérémonieusement l'accolade. Et nous, alors ?

– Et Sherlock ? renchérit Mathilde. C'est tout de même lui qui nous a guidés jusqu'ici.

En quelques mots, l'oncle Archibald nous mit au courant des événements de la nuit. Anton Semaphorius avait fait irruption dans son laboratoire, réclamant au nom de leur ancienne amitié de partager avec lui sa découverte. L'oncle Archibald avait refusé tout net. Une courte bagarre s'était ensuivie. L'oncle Archibald prenait le dessus quand une arme pointée dans ses reins l'avait contraint à se laisser ligoter. Réduit à l'impuissance, il avait assisté au chargement du tyrannodon sur le bateau de pêche. Semaphorius et son complice, le pilote du navire, avaient alors appareillé pour l'île avec leur précieux chargement. L'enlèvement de l'oncle Archibald n'était pas prévu dans leur plan : ils l'avaient abandonné là, dans ce cachot humide, en attendant de décider de son sort.

– Et le tyrannodon ?

– Un bassin a été creusé sous la falaise, juste en dessous du château. Le *Semaphorius IV* est caché là, à l'abri des regards indiscrets, en attendant la nuit. Le tyrannodon est à bord.

À cet instant, un étrange mugissement se fit entendre : un cri assourdi qui semblait monter des profondeurs de la terre, se répercutant en écho à travers les salles voûtées pour mourir jusqu'à nous.

– Qu'est-ce que c'est que ça ? sursauta P. P. tandis que le chuchurda terrifié bondissait sur l'épaule de Mathilde et se réfugiait dans la capuche de son caban.

– Aucune idée. Peut-être le fantôme de ta cornemuse, suggérai-je d'une voix blanche.

À vrai dire, je n'en menais pas large. Quel animal pouvait bien produire ce meuglement ? Même l'oncle Archibald en parut impressionné.

– Tout cela ne me dit rien qui vaille, murmura-t-il. Hâtons-nous de sortir d'ici.

Mais il était trop tard. La puissante lumière d'une torche envahit brusquement notre cellule tandis qu'un ricanement éclatait :

– Tiens, tiens, des visiteurs ! Je n'en espérais pas tant !

La longue silhouette anguleuse d'Anton Sema-phorius se tenait devant la porte, nous barrant la sortie.

– Surtout, pas un geste, lança-t-il, sinon ce cher Mac Dermott pourrait bien ne pas se contrôler.

Un autre homme se tenait derrière lui, un type trapu, à la mâchoire carrée, un bonnet de marin enfoncé sur le crâne. Dans sa main droite brillait l'éclat d'un pistolet.

On a beau avoir vu ça mille fois dans les films, ça fait un choc. Je sentis mes jambes se liquéfier sous moi tandis que le battement de mon cœur s'accélérait soudainement.

– Anton! s'exclama l'oncle Archibald en s'interposant courageusement devant le canon de l'arme. Il s'agit d'enfants...

– Rassure-toi, ricana Semaphorius, je ne leur ferai aucun mal pourvu qu'ils restent tranquilles.

Dans la lumière de la torche, sa barbe raide brillait d'un éclat diabolique.

– Au fond, cela m'arrange, continua-t-il. Je n'aimais pas l'idée de laisser derrière moi trois petits témoins gênants.

– Que comptes-tu faire de nous?

– Vous garder au frais un moment. Le temps qu'on vous découvre ici, je serai loin, et le tyrannodon aussi.

– Vous ignorez à qui vous avez affaire, dit P.P. crânement. Mon père est l'honorable Anthime de Culbert. Dès qu'il apprendra que son cher rejeton est séquestré, il remuera ciel et terre pour...

Le rire de Semaphorius l'interrompit.

– Et comment l'apprendrait-il, jeune homme ? Si je ne m'abuse, vous avez quitté Keays Castle sans avertir personne.

Il avait raison, réalisai-je avec horreur : avant qu'on nous retrouve au fond de ce trou, nous aurions eu largement le temps de nous transformer tous les quatre en squelettes.

– J'en appelle à ton honneur de scientifique, essaya l'oncle Archibald à son tour. Tu es un naturaliste, pas un brigand de bas étage. Le tyrannodon ne survivra pas à la captivité.

– Bah ! dit Semaphorius en haussant les épaules. Je connais des dizaines de zoos en Europe qui paieraient des fortunes pour posséder le fils de Nessie. Je serai riche, célèbre dans le monde entier. Peu importe ce qu'il adviendra ensuite.

– Espèce de brute ! s'indigna Mathilde. Le tyrannodon n'est encore qu'un bébé !

– Trêve de discussion, coupa Semaphorius, la voix soudain tranchante comme un rasoir. Nous avons assez perdu de temps comme ça. Inutile d'attendre la nuit : le brouillard est assez dense pour que nous puissions filer.

Il se tourna vers Mac Dermott, aboyant quelques instructions.

– C'est là que nos chemins se séparent, Archibald, conclut-il en reculant vers la sortie. Sois beau joueur : j'ai gagné. Le tyrannodon m'appartient désormais. L'élève a dépassé le maître. Adieu.

La lumière s'éteignit et, sur ces mots, il disparut.

Le fracas d'un verrou résonna dans l'obscurité. Cette fois, nous étions bel et bien prisonniers.

20

Ce brave Sherlock

Durant quelques instants, nous fûmes incapables d'un mouvement. C'était vraiment trop bête : nous étions venus nous jeter comme des bleus dans la gueule du loup. Semaphorius allait appareiller et nous n'y pourrions rien.

Une rapide exploration des lieux nous ôta tout espoir d'évasion. L'ouverture dans le plafond était trop étroite et la grille si épaisse qu'il aurait fallu un bulldozer pour l'arracher de ses gonds.

– Mes pauvres enfants, fit l'oncle Archibald, je crains de vous avoir entraînés dans une funeste équipée.

– Tout espoir n'est pas perdu, s'écria Mathilde. Cette brute de Semaphorius ne l'emportera pas au paradis !

– Et comment comptes-tu nous faire sortir d'ici ?

demandai-je. En forçant la serrure avec une épingle à cheveux ?

— Mais non ! Grâce à Sherlock !

Dans l'émotion du moment, j'avais oublié le chuchurda. Il pointait sa petite tête ébouriffée de la capuche de Mathilde, clignant des yeux et tortillant de la queue.

— Lui seul pourra passer à travers les barreaux, continua Mathilde. Il ira chercher du secours.

— Pourquoi pas la cavalerie ? dis-je avec accablement.

— C'est la seule solution, approuva l'oncle Archibald gravement.

Déjà, Mathilde s'accroupissait près de la grille, caressant le chuchurda pour l'encourager.

— La clef, mon Sherlock. Va chercher la clef de la grille.

Sherlock la regardait, inclinant la tête de côté comme s'il cherchait à comprendre. Dans l'obscurité, ses yeux rouges brillaient d'une sorte d'intelligence malicieuse. Mais quel secours pouvait-on attendre d'un singe nain du Zimbabwe ?

— Ramène la clef, mon Sherlock, répéta Mathilde. Tu entends ? La clef de la grille...

Au même instant, un nouveau mugissement fit trembler les voûtes. Le chuchurda poussa un cri de terreur et, échappant aux mains de Mathilde, se faufila d'un bond à travers la grille avant de détaler dans l'obscurité.

– Zut et rezut! grondai-je. J'étais sûr qu'on ne pouvait pas compter sur ce gnome.

– Gnome toi-même, riposta P. P. Il fallait essayer.

– Ne nous chamaillons pas, intervint l'oncle Archibald. Miss Blondine a fait ce qu'elle a pu. Il ne nous reste plus qu'à attendre maintenant.

– Je suis sûre qu'il va réussir, murmura Mathilde sans trop y croire.

– Tu parles! Il se cache quelque part en tremblant comme une feuille!

– Le pauvre chéri! Tout seul dans le noir!

– En tout cas, dis-je, quoi qu'il advienne, je ne mettrai plus jamais les pieds dans un zoo de ma vie. J'en ai soupé des singes savants, des monstres préhistoriques et des zèbres… Je préfère encore l'internat.

– Si nous y revenons un jour, murmura P. P. d'une voix lamentable.

Nous allâmes nous asseoir chacun dans un coin, la tête basse. Les carottes étaient cuites : jamais nous ne sortirions d'ici vivants. Même l'oncle Archibald semblait avoir perdu son flegme légendaire. Lui qui avait chassé le lion dans les savanes d'Afrique, traversé des jungles en pirogue et combattu des crocodiles à mains nues, en était réduit à ce qu'il détestait le plus au monde : attendre…

Mais attendre quoi ? Semaphorius avait raison : nous avions bel et bien perdu la partie.

– Ne t'inquiète pas, dis-je en me rapprochant de Mathilde. Nous nous en sortirons, je te le promets.

– Tu es gentil, dit-elle en posant la main sur mon bras. C'est la première fois que ça m'arrive, mais je crois que j'ai vraiment peur.

Je ne sais pourquoi, cet aveu me fit du bien : je n'en menais pas large moi non plus.

(21)
Sauvés!

Combien de temps dura notre réclusion?

Je ne saurais le dire. P.P. faisait les cent pas, fouillant désespérément les recoins les plus poussiéreux de son cerveau à la recherche d'une solution. L'oncle Archibald, lui, s'était attaqué à la grille avec le seul outil à sa disposition : une minuscule lime à ongles tirée du nécessaire de manucure qu'il gardait toujours sur lui. Au train où cela allait, il se passerait un demi-siècle avant que ne cède le premier barreau.

À moins que...

Mathilde et moi relevâmes la tête en même temps. Avions-nous rêvé? Un bruit indistinct se faisait entendre.

L'oreille dressée, j'arrêtai de respirer. Cette fois, le bruit se précisa. Je sautai sur mes pieds à l'instant où l'ombre déformée d'une silhouette s'allongeait sous la grille, projetée par le faisceau d'une lampe-torche.

– Sherlock ! cria Mathilde. Il est revenu !

Comme en se jouant, le chuchurda se faufila à travers la grille, déboulant dans notre cachot avec la vivacité d'un diable à ressort. En deux bonds, il avait sauté dans les bras de Mathilde, nous défiant du regard avec de petits cris de triomphe.

Mais il n'était pas seul. Derrière lui, une massive silhouette de rugbyman se glissait à son tour dans l'étroit boyau, une lampe à la main.

– Cornelia ! glapit l'oncle Archibald. Nous sommes là !

C'était bien elle, sanglée dans un imperméable qui mettait en valeur ses épaules carrées, son fichu de ménagère en plastique transparent sur le crâne.

Que fabriquait-elle ici ? Par quel miracle avait-elle retrouvé notre trace ? Tout allait si vite que j'en perdais mon latin.

Jetant un rapide coup d'œil à l'intérieur, elle poussa un grognement de satisfaction. Nous devions avoir une drôle d'allure tous les quatre, pétrifiés dans l'éclat de sa lampe. Mais déjà, l'oncle Archibald reprenait ses esprits.

– Eh bien, dit-il, qu'attendez-vous pour nous délivrer ? La clef, vite !

La clef ? Pour quoi faire… Rien ne semblait pouvoir résister à Cornelia. Saisissant les barreaux dans ses paumes énormes, elle poussa un soupir de lutteur de sumo, bloqua sa respiration et, se carrant solidement sur ses pieds, arracha la grille d'une seule traction.

Malgré le hourra que je poussai, j'eus un frisson : je n'aurais pas aimé me faire enlever une prémolaire par un dentiste de cette trempe !

– Ma chère Cornelia, vous nous sauvez, la congratula l'oncle Archibald en consultant sa montre. Un peu tardivement, peut-être, mais soyez assurée de notre reconnaissance éternelle.

Une pétarade lointaine lui répondit.

Non, il n'était pas trop tard !

Le bateau d'Anton Semaphorius venait de mettre son moteur en marche. Avec un peu de chance, nous pouvions encore l'empêcher de s'enfuir.

22

Nessie à la rescousse

Ce fut une cavalcade effrénée.

Cornelia avait pris la tête, nous guidant à travers le dédale souterrain. L'oncle Archibald la suivait en petites foulées, les coudes collés au corps comme s'il accomplissait dignement sa gymnastique matinale.

Derrière lui venait Mathilde, Sherlock à cheval sur ses épaules à la façon d'un minuscule jockey. Je fermais la marche avec P. P. : le sprint n'a jamais été son fort, et je devais le tirer de toutes mes forces pour ne pas nous laisser semer.

– Si je sors de cette aventure, haleta-t-il, je renonce au bœuf gros sel et à la soupe au chou.

– Ne dis rien que tu pourrais regretter, l'interrompis-je en ralentissant l'allure. Je crois que nous y sommes...

Cornelia venait de stopper net en haut d'un escalier.

En contrebas s'ouvrait une vaste salle taillée dans la roche. Une salle ? Un bassin plutôt, une étendue d'eau miroitante bordée d'un quai, dans laquelle se réfléchissaient des milliards de particules lumineuses.

– Le bassin de Kilarn'agh !

Je ne pus retenir un sifflement d'admiration : la falaise sous le château avait été creusée aux dimensions d'un petit port, couvert d'un plafond si haut qu'on se serait crus à l'intérieur d'une cathédrale. La pierre luisante était incrustée de facettes sur lesquelles jouait la torche de Cornelia. C'était magique, comme une Voie lactée qui se serait mise à scintiller brusquement, réfléchie dans les eaux noires du bassin.

– Regardez ! Le *Semaphorius IV* ! Il appareille !

Le bateau d'Anton Semaphorius était rangé le long du quai, moteur bourdonnant. Un vaste aquarium solidement arrimé occupait toute la longueur du pont : le tyrannodon était là, petite masse rose terrorisée dans sa prison transparente.

Une veilleuse était allumée dans la cabine, éclairant le profil de brute et le bonnet de Mac Dermott. À l'avant du bateau, une silhouette longiligne s'agitait sur les amarres.

– Anton ! hurla l'oncle Archibald d'une voix de stentor. Tu ne t'en tireras pas comme ça !

Peine perdue. Ignorant l'avertissement, Semaphorius venait de larguer les amarres.

Nous nous lançâmes dans l'escalier tandis que les bourdonnements du moteur prenaient de la puissance, enveloppant l'atmosphère d'une vapeur d'essence nauséabonde.

– Vite, cria Mathilde, ils s'enfuient !

Le temps de gagner l'extrémité opposée du bassin, le combat était perdu : le *Semaphorius IV* s'éloignait du quai, manœuvrant de toute la force de ses machines.

Hurlant et gesticulant, inutiles, nous le vîmes achever sa marche arrière, virer de bord en évitant habilement les piles du quai avant de mettre le cap sur la sortie.

Derrière, c'était le loch. Les eaux libres. Le *Semaphorius IV* nous échappait, emportant avec lui le bébé tyrannodon dans son immense bocal phosphorescent.

– Reviens, Anton ! essaya encore l'oncle Archibald. Il n'est pas trop tard ! Je te jure que cette histoire restera entre nous ! Reviens, je t'en conjure, au nom de la science et de notre ancienne amitié !

Debout sur le pont, jambes écartées à la façon d'un capitaine victorieux, Anton Semaphorius nous contemplait d'un air sarcastique, agitant la main en signe d'adieu.

Que faire ? Nous jeter à l'eau ? Ridicule : le bateau prenait de la vitesse. Encore quelques secondes et il s'évanouirait dans la brume qui noyait le loch. Il aurait fallu un canon et *boum!* un obus sous la ligne de flottaison. B-4, coulé, comme à la bataille navale ! Mais, hormis la torche de Cornelia, nous avions les mains vides. Et puis tirer n'aurait pas été une solution : le tyrannodon était à bord, gentil monstre palmé qui frémissait de terreur. Un coup mal ajusté et c'en aurait été fini de lui…

– Adieu, Archibald ! cria encore Semaphorius. Nous nous retrouverons en enfer !

Je sentis Mathilde qui se serrait contre moi, au bord des larmes, protégeant le chuchurda comme s'il avait été menacé lui aussi. De l'autre côté, P.P. grinçait des dents, trépignant de rage et d'impuissance.

– Le fils de Nessie, gémit-il. La plus extraordinaire découverte de l'homme depuis la révélation de mon génie, et il nous échappe !

Je retins moi aussi un sanglot. C'était fini. Le tyrannodon terminerait ses jours dans les fonds glauques d'un aquarium de zoo, guetté par des milliers de curieux qui lui feraient des guili-guili à travers la vitre… Triste destin pour un pauvre animal de quelques mois qui n'avait qu'un tort : être l'un des derniers survivants des grands monstres de la préhistoire.

Je n'ai jamais eu d'affection délirante pour les animaux. Mais le tyrannodon n'était encore qu'un bébé malgré ses deux cents kilos, une créature innocente et vulnérable que nous n'avions pas su protéger.

Si j'avais pu tenir Anton Semaphorius à cet instant, je crois que j'aurais été capable de le transformer en nourriture pour poisson rouge pour lui apprendre la politesse.

– Écoutez! lança soudain Mathilde. Est-ce que vous n'entendez rien?

À l'instant où le *Semaphorius IV* quittait la rade, un formidable mugissement sembla soulever les eaux.

C'était celui que nous avions entendu depuis les profondeurs de notre cachot, mais si proche cette fois que toute la voûte en tremblait.

Puis quelque chose surgit de la brume. Quelque chose que je pris tout d'abord pour un périscope. Mais quel sous-marin géant aurait pu être armé d'une tourelle aussi longue?

Ce n'était pas un périscope. Plutôt le cou luisant de quelque animal formidable qui émergeait des eaux avec lenteur à vingt mètres seulement du bateau.

Paralysés de terreur, nous vîmes s'élever en ondulant la courte tête de lézard qui le surmontait, tandis qu'un nouveau mugissement de rage découvrait une impressionnante rangée de dents acérées.

– Ness… Ness… Ness… bégaya P.P. au comble de l'effroi. Nessie !

– C'est elle ! C'est Nessie ! hurla Mathilde à son tour. Elle vient délivrer son petit !

Oui, c'était bien le monstre dont j'avais vu les photos dans la documentation de P.P. : le long cou de diplodocus en forme de point d'interrogation, le corps énorme, profilé comme un obus, qui affleurait maintenant à la surface de l'eau dans un prodigieux bouillonnement. Une bête d'au moins quarante mètres dont la tête dépassait les haubans du *Semaphorius IV* comme s'il s'était agi d'une vulgaire maquette en bois !

Avait-elle vu le tyrannodon dans son aquarium ? Il y eut un nouveau mugissement, puis Nessie plongea, disparaissant sous les eaux avec une souplesse extraordinaire.

À bord du *Semaphorius IV*, c'était la panique. Mac Dermott essaya bien de manœuvrer : d'un coup de barre désespéré, il tenta d'éviter l'énorme torpille qui fonçait droit sur eux.

Trop tard. Le choc fut terrible. Éperonné de plein fouet, le chalutier se renversa dans un craquement de bois déchirant, l'étrave fendue.

Je ne voulais pas voir ça. Projetés dans les airs,

Anton et Mac Dermott pataugeaient maintenant dans les eaux noires du loch, au milieu des débris de leur bateau qui sombrait.

L'aquarium, lui non plus, n'avait pas résisté à la violence du choc. Il avait glissé dans l'eau où il parut flotter un instant avant de s'enfoncer brutalement, libérant le tyrannodon.

C'est alors que nous vîmes le plus extraordinaire spectacle de toute cette aventure : Nessie, soudain calmée, ignorant superbement les deux olibrius qui barbotaient à quelque distance, retrouvait son petit.

Avec délicatesse, elle s'approcha de lui, l'entourant de son cou interminable tandis qu'il se roulait contre son flanc. On aurait dit deux énormes otaries jouant l'une avec l'autre dans un joyeux bouillon, se faisant fête et soulevant d'immenses gerbes d'écume.

— Mon appareil ! geignit P. P. Mon royaume pour un appareil photo !

Mais déjà Nessie et son petit s'éloignaient, nageant côte à côte. Nous aperçûmes une dernière fois leurs deux masses sombres qui se coulaient dans la brume, puis ce fut fini.

Ils avaient disparu.

— Je n'aurais pu rêver d'un dénouement plus heureux, dit enfin la voix grave de l'oncle Archibald.

Ce jeune tyrannodon avait encore besoin de sa mère. Les voilà réunis. Tout est bien qui finit bien.

– Mais vos recherches ? bredouilla P. P. tandis que Cornelia, d'une poigne solide, tirait de l'eau Semaphorius et son complice, trop étourdis encore pour résister. Vos travaux ? Qui les achèvera ?

– Qui sait ? fit l'oncle Archibald avec un sourire énigmatique. Tout cela est sans importance, mon cher neveu. Aucune étude ne valait le spectacle qu'il nous a été donné de voir aujourd'hui : la démonstration du dévouement maternel d'un monstre de la préhistoire.

Puis, se tournant vers les deux complices :

– Tenez-les bien ! Cornelia, conclut-il. Ces gentlemen vont passer de nombreuses années dans les prisons de Sa Majesté. Mais le souvenir qu'ils emportent devrait compenser ce mauvais sort, vous ne croyez pas ?

Nous hochâmes la tête tous ensemble. Dans leurs vêtements dégoulinants, Semaphorius et Mac Dermott ressemblaient à deux hallucinés si misérables que nous ne pûmes nous empêcher d'éclater de rire.

Même Sherlock se mit à ricaner.

Après tout, il faisait partie de la bande désormais.

Épilogue

– Chers enfants, je lève mon verre à vos futures vacances. Vous les avez bien méritées.

Nous étions rassemblés autour de l'oncle Archibald, devant la cheminée de Keays où brûlait un bon feu. Il pleuvait, comme d'habitude, mais après nos aventures, c'était un délice de se retrouver bien au chaud sous les trophées de la bibliothèque, avec le ruissellement des gouttes sur les vitres et le bruit du vent.

Nous nous étions tous mis sur notre trente et un pour le dîner. Mathilde étrennait la robe longue spécialement achetée pour honorer l'invitation au château, P.P. un tartan et des chaussettes montantes qui en faisaient la réplique miniature de son oncle. Moi, je n'avais qu'un vieux jean et mes baskets pourries, mais bon : il n'y a que là-dedans que je me trouve bien.

Même Sherlock arborait autour du cou un nœud papillon subtilisé dans la garde-robe de l'oncle

Archibald. Assis sur la table basse, il jonglait avec des cacahuètes et fourrait son museau dans tous les verres. Mais qui aurait pu lui en vouloir après notre aventure ?

– Anton Semaphorius et Mac Dermott doivent être loin à l'heure qu'il est, dit l'oncle Archibald en consultant sa montre avec un petit sourire entendu.

Nous dressâmes tous l'oreille.

– Comment, mon oncle ? Vous ne les avez pas livrés à la police ? s'indigna P. P.

– Pour quel motif ? Ne l'oubliez pas : le tyranno-don n'a jamais existé que pour vous et moi. Je ne vous ai pas fait promettre de garder le secret pour en informer la police. Et puis, je crois que la leçon a été suffisante : Anton n'est pas un mauvais bougre, après tout. Comment le blâmer d'avoir voulu s'at-tribuer une découverte aussi fabuleuse ?

– Vous oubliez qu'il nous a séquestrés dans ce réduit infâme.

L'oncle Archibald secoua la tête avec indulgence.

– Cela vous apprendra à fourrer votre nez partout, mon neveu. D'ailleurs, Anton m'a avoué qu'à peine arrivé en lieu sûr il aurait prévenu le château de notre présence dans l'île.

– Au fait, intervint Mathilde. Comment Cornelia nous a-t-elle retrouvés ?

– C'est vrai, Miss Blondine, j'oubliais. Oh ! une

histoire très simple : une version moderne de la bouteille à la mer qu'on pourrait appeler « les bocaux dans le loch ». Inquiète de ne pas vous trouver, cette brave Cornelia est descendue jusqu'à l'embarcadère. La barque avait disparu, mais à sa place flottaient d'étranges provisions dans des bocaux en verre : lapin aux morilles, chou farci...

– Mon pique-nique ! s'exclama P. P.

– Le courant l'avait rapporté jusqu'au rivage, poursuivit l'oncle Archibald en riant. Cornelia a tout de suite compris qu'il se passait quelque chose. N'écoutant que son courage, elle a sauté dans le hors-bord du château et gagné Kilarn'agh. En errant dans les ruines à notre recherche, elle est tombée sur Sherlock qui l'a guidée jusqu'à notre cachot. Vous connaissez la suite.

Je n'en revenais pas : être sauvé par la gloutonnerie de P. P. Cul-Vert et par un singe albinos, c'était tout de même fort de café !

– Mais Cornelia ? interrogea Mathilde. Qui est-elle exactement ?

– Je me doutais bien que vous me poseriez la question. Un personnage étrange... Je l'ai rencontrée à l'époque où je travaillais pour les services secrets de Sa Majesté.

– Vous, mon oncle, un espion ? s'étrangla P. P. Moi qui vous prenais pour un doux génie dans mon genre !

– Les apparences sont parfois trompeuses, n'est-ce pas ? Cornelia appartenait aux commandos des forces spéciales. Vous avez remarqué son physique de colosse. Sachez qu'elle est huitième dan de judo, nageur de combat et qu'entre autres petits talents elle est capable de fendre d'une manchette cette grosse table en chêne avec autant d'aisance qu'elle écraserait une mouche !

Je ne pus retenir une grimace en regardant la table : elle faisait bien vingt centimètres d'épaisseur.

– Un as dans sa spécialité, continua l'oncle Archibald en savourant notre surprise. Seulement, il y a eu un hic : à force de s'entraîner au silence pour résister à d'éventuels interrogatoires, cette brave Cornelia a perdu l'usage de la parole. Pas très commode, n'est-ce pas, dans un métier qui consiste à rapporter des renseignements secrets... Quand je me suis installé ici, Cornelia est entrée à mon service. Elle me sert de chauffeur, de cuisinière, de gouvernante et de garde du corps. Une employée modèle, exception faite de sa détestable habitude de faire cuire les œufs à la coque quinze secondes de trop. Mais que voulez-vous : personne n'est parfait.

– En tout cas, dis-je, nous lui devons une fière chandelle. Sans elle, nous serions encore à croupir dans le cachot de Kilarn'agh.

– Et si nous passions à table, maintenant ? suggéra
P. P. Je ne sais pas si vous êtes comme moi, mais je
commence à avoir un petit creux. Sherlock a gri-
gnoté toutes les cacahuètes et...

– Décidément, mon cher neveu, dit l'oncle Archibald en éclatant de rire, vous ne changerez jamais.
Toujours aussi glouton ! Savez-vous ce que vous
mériteriez ?

– Une bonne fessée, si Monsieur le permet, lança
une voix de basse derrière nous.

Nous nous retournâmes tous d'un bloc. Cornelia se tenait sur le seuil, un plateau à la main. Elle
portait à nouveau son tablier de gouvernante et un
petit bonnet de dentelle qui la rendaient curieuse-
ment inoffensive.

– Mais, Cornelia, vous parlez ! s'écria l'oncle Archibald.

C'était elle qui paraissait la plus surprise. Ses lèvres
s'arrondirent en O tandis que les mots se boscu-
laient soudain dans sa bouche.

– Que Monsieur me pardonne ! Ce doit être l'émotion. Le spectacle de ce jeune tyrannodon et de sa
mère... Je ne sais pas ce qui m'arrive.

Nous l'entourâmes en la congratulant à qui mieux
mieux, tandis que Sherlock en profitait pour se suspendre au lustre en imitant le cri de Tarzan.

– En tout cas, conclut l'oncle Archibald, je compte

sur vous pour garder le secret sur ce que vous avez
vu.

– Que Monsieur ne s'inquiète pas, assura Cornelia avec un grand sourire : je serai muette comme
une tombe.

Pour ça, on pouvait compter sur elle. Elle l'avait
prouvé.

– Maintenant, dit-elle en retrouvant ses manières
dignes et compassées, si vous voulez bien passer à
table, Mademoiselle est servie.

– Merci, dit Mathilde en s'inclinant. Rémi, si tu
acceptes d'être mon cavalier...

C'est ainsi que je fis mon entrée dans la salle à
manger au bras de Mathilde, rayonnante dans sa
robe de soirée, les cheveux noués d'un joli ruban
argenté.

Il nous restait encore une semaine de vacances avant la rentrée. Le secret qui me liait à mes amis lui donnait un éclat particulier, nous rendant tous complices du grand mystère qu'abritait le loch.

– Chère Miss Blondine, dit l'oncle Archibald en prenant sa place à table, votre amour des animaux a permis de sauver ce jeune tyrannodon d'un sort peu enviable. Promettez-moi de ne plus jamais dire «commilestmignon» et, en remerciement, vous pourrez revenir à Keays Castle quand bon vous semble. Je crois que Sherlock va beaucoup s'ennuyer sans sa maîtresse d'adoption. Il sera très honoré que vous lui rendiez visite.

– Merci, oncle Archibald, dit Mathilde en rougissant tandis que le chuchurda se lovait sur ses genoux. Il me manquera beaucoup aussi.

– Quant à vous, jeune Pheramone, j'ai cru deviner votre intérêt pour cette magnifique cornemuse héritée de mes ancêtres. Je vous l'offre de grand cœur, en signe de gratitude.

– Euh, trop aimable… bredouillai-je pendant que Mathilde s'étranglait discrètement de rire derrière sa serviette.

– Et vous, mon neveu? continua l'oncle Archibald en se tournant vers P.P. Faites un vœu, et il sera exaucé.

P.P., pris de court, fronça les sourcils pour réfléchir, ce qui eut pour effet de faire remonter ses lunettes sur son nez. On aurait dit un gros crapaud clignant des yeux derrière un masque de plongée trop grand pour lui.

– Je crois que j'ai trouvé, se décida-t-il enfin en se penchant vers l'oreille de son oncle. C'est une requête un peu spéciale. Mais comme je suis le héros de cette histoire…

Nous n'entendîmes pas ce qu'il murmura à l'oncle Archibald. P.P. a toujours été un peu cachottier sur les bords, mais l'oncle Archibald accepta volontiers ce qu'il lui demandait.

– Maintenant, dit-il, que les vacances commencent! N'en déplaise à mon neveu, j'ai moi aussi une faim de loup.

– Alors, triompha P.P. en se penchant vers nous, que pensez-vous de mon invitation au château? Est-ce que je ne suis pas le grand, l'immense Pierre-Paul de Culbert? Je n'ai qu'un regret, mes amis, mais il est de taille…

– Un regret? Mais lequel? demandai-je d'une seule voix avec Mathilde.

– N'avoir pu m'inventer moi-même, répliqua modestement P.P. en baissant les yeux.

Nous partîmes tous d'un grand éclat de rire.

Décidément, on ne changera jamais P.P. Cul-Vert.

Et son vœu, me direz-vous ?

Ceux qui visitent Keays Castle aujourd'hui s'arrêtent avec curiosité devant un grand portrait qui trône au-dessus de la cheminée principale. On y voit un énergumène en tenue folklorique qui joue de la cornemuse, un pied posé sur une pile de bouquins, les lunettes tachées d'encre, avec l'air avantageux d'un saucisson à la devanture d'une charcuterie artisanale.

« Pierre-Paul Louis de Culbert », dit le cartouche fixé sur le cadre, « génie méconnu de la musique et unique chevalier de l'ordre secret du Tyrannodon. »

Le peintre, à la demande de l'oncle Archibald, a ajouté aux armoiries de la famille l'esquisse d'une bête étrange, moitié diplodocus, moitié lézard palmé.

Ne me demandez pas ce qu'elle représente. C'est le vœu de P. P. et notre secret, à Mathilde et à moi.

Même si l'on m'obligeait à subir un concert de cornemuse aquatique, je ne le trahirais pas. Parole de Rémi Pharamon !

Le club
des Inventeurs

①

L'inconnu
de la fête foraine

On était tout en haut du Grand Huit quand Mathilde a dit :

– Retourne-toi, vite ! Il est là, l'homme à l'imperméable !

Je tordis le cou, tâchant d'apercevoir quelque chose derrière moi. Au même instant, Mathilde poussa un hurlement. L'avant de la voiture bascula et nous tombâmes dans le vide. Cramponné à la barre de sécurité, je vis le toit des baraques foraines se rapprocher de nous à une vitesse vertigineuse. J'eus l'impression que tout mon sang me remontait dans les oreilles.

« Cette fois, pensai-je dans un spasme de terreur, ton compte est bon, mon pauvre Pharamon. »

À la dernière seconde, alors que nous allions nous écraser sur la foule qui se pressait sur le parvis, la voiture se redressa, parut rebondir dans l'espace.

Un virage à gauche, la voiture qui se couche, me projetant sur Mathilde, le fracas des rails métalliques, une nouvelle accélération : tête en bas, je vis mon briquet s'échapper de ma poche, les tickets s'éparpiller dans le vide comme une poignée de confettis.

C'était plus que je n'en pouvais supporter. Je fermai les yeux à l'instant où la voiture piquait du nez, nous précipitant à la vitesse de la lumière dans une dernière boucle.

Quand je les rouvris, la voiture venait doucement mourir sur l'aire d'arrivée.

– Ouahouh ! C'était génial ! fit Mathilde en sautant lestement à terre.

– Super, articulai-je en me débattant avec la ceinture de sécurité. Vraiment géant.

– Tu n'as pas l'air dans ton assiette, s'inquiéta Mathilde. Tu es sûr que ça va ?

Je ne l'aurais avoué pour rien au monde, mais je déteste les montagnes russes, le Grand Huit et les trains de la mort. Mes jambes ne me portaient plus, je me sentais aussi mou qu'un camembert qu'on aurait enfermé par erreur dans un accélérateur de particules.

Quand Mathilde m'avait proposé de l'accompagner à la fête foraine, j'aurais mieux fait de me casser la jambe ou d'être retenu au collège par soixante

heures de colle. Tout plutôt que de monter dans ces appareils de torture... Mais vous connaissez Mathilde : qui pourrait résister à ses taches de rousseur ?

– Tu l'as vu, au moins ? demanda-t-elle.

– Qui ça ?

– Mais l'homme ! Le type à l'imperméable ! Il était derrière nous, à quelques voitures de la nôtre.

À l'instant où notre engin avait paru se décrocher au-dessus du vide, j'avais eu la vision très vague d'une silhouette coiffée d'un chapeau, le visage tordu par un rictus atroce. L'homme à l'imperméable, col relevé, les traits dissimulés derrière d'énormes lunettes de soleil.

– Bah ! dis-je. Un amateur d'émotions fortes, rien de plus. D'ailleurs, il a disparu.

– Je t'assure qu'il nous suit. Dans le bus, d'abord, il était tout au fond et faisait semblant de lire un journal hippique en bulgare. Je l'ai revu dans la queue, au guichet, et maintenant sur le Grand Huit... J'en donnerais ma main à couper, nous sommes filés, mon bon Rémi.

– Par qui ? ricanai-je. Un de tes admirateurs anonymes ? Tu délires, ma pauvre Mathilde. C'est l'ivresse de l'altitude, le grand voile noir ! Il paraît que ça arrive quand on passe le mur du son sans entraînement.

– Regarde ! me dit-elle triomphalement.

À la sortie du stand, on vendait les photographies prises au début du grand looping. Sur celle qu'elle venait d'acheter, j'eus du mal à me reconnaître : bouche ouverte, cheveux dressés sur le crâne, j'avais les yeux hors de la tête comme un personnage de dessin animé.

– Si tu t'avises de montrer ça au collège... menaçai-je.

– Mais non ! Là, derrière !

On voyait, en arrière-plan, une autre voiture, suspendue elle aussi au-dessus du vide. À l'intérieur, l'homme à l'imperméable braquait sur nous des jumelles.

– Alors, c'est moi qui franchis le mur du son ?

– Tu as raison, convins-je de mauvaise grâce. Ce type nous file le train. Mais pourquoi ?

– Une seule façon de le savoir, décréta Mathilde en m'entraînant au pas de course. Nous allons le coincer dans le train fantôme !

Voilà. Vous êtes redoublant de quatrième au collège Chateaubriand, nul dans toutes les matières sauf en sport, mais plutôt sympa et chouchou des filles de la classe. Jusque-là, vous couliez des jours tranquilles à l'internat, entre les interros surprises, les heures de colle et les parties de cartes entre copains.

Et puis, un jour, pour les beaux yeux de Mathilde

Blondin, votre existence bascule dans l'horreur. Vous acceptez de l'accompagner à la fête foraine, vous espériez juste faire un peu de tir au carton, manger une pomme au sucre et frimer au volant d'une auto tamponneuse, et vous voilà dans un wagon du train fantôme à tenter de coincer un mystérieux espion bulgare armé de jumelles et d'un chapeau mou.

– Ne te retourne pas, murmura Mathilde tandis que nous faisions la queue au guichet. Il est là, et j'ai un plan.

« Aïe ! pensai-je, c'est bien ça qui me fait peur. Dans quel pétrin va-t-elle encore nous entraîner ? »

Nous prîmes place dans une sorte de nacelle vermoulue, séparée des autres par une longue crémaillère, et qui circulait sur un rail à l'intérieur d'un vaste bâtiment plongé dans la pénombre. À peine les portes s'étaient-elles refermées derrière nous qu'une série de hululements lugubres se firent entendre.

Je ne suis pas peureux, mais il y avait de quoi vous glacer les sangs.

Des chaînes s'agitaient toutes seules contre les murs, des squelettes phosphorescents tendaient vers nous leurs os décharnés.

Puis ce furent d'étranges fantômes en hologrammes qui se mirent à danser autour de nous en une valse démoniaque.

À chaque nouvelle salle, des cris de terreur s'élevaient dans le noir. Un plafond s'effondra brusquement, retenu par un mécanisme hydraulique à l'instant où il allait nous broyer. J'avais beau savoir que tout cela n'était qu'un décor de carton-pâte, la présence invisible de notre poursuivant, à quelques wagons de nous, me donnait la chair de poule.

– J'adore! gloussa Mathilde tandis qu'une toile d'araignée gluante nous caressait les cheveux. Pas toi?

– J'aimerais autant être digéré par un brontosaure, murmurai-je, les dents serrées.

– Vite, descends! lança Mathilde à l'instant où nous pénétrions dans une sorte de salle voûtée, décorée avec un goût exquis d'une collection d'engins de torture sanguinolents.

– Descendre ? Mais tu es folle !

Déjà, elle avait sauté à terre. Je ne pus que la suivre, laissant notre wagon s'éloigner en grinçant dans la pénombre. Je sentis la main de Mathilde m'agripper, me pousser derrière un large billot sur lequel trônait une tête coupée… en cire, du moins je l'espère, je n'eus pas le courage de vérifier.

– Cachons-nous là, ordonna-t-elle.

Nous laissâmes passer un premier wagon, puis un deuxième, chargés de passagers ravis et terrifiés. Quand la porte à deux battants s'ouvrit sur le suivant, les ongles de Mathilde s'enfoncèrent dans mon avant-bras.

– C'est lui ! À l'abordage ! siffla-t-elle entre ses dents.

L'homme à l'imperméable se tenait enfoncé dans son siège, seul, le journal déplié devant lui comme s'il avait cherché à ne pas être remarqué. Mais qui peut lire avec des lunettes de soleil un journal de courses en bulgare, dans l'obscurité d'un train fantôme ?

Le cœur battant, nous le laissâmes nous dépasser, attendant qu'il ait presque quitté la salle pour bondir d'un même mouvement.

– Plus un geste ! Tu es fait ! hurlai-je.

C'était idiot, à vrai dire, une réplique que j'avais entendue dans un film, mais qui parut produire son effet. Tandis que Mathilde s'accrochait comme une furie à son bras, je ceinturai l'homme de toutes mes forces, un peu surpris tout de même de le découvrir si corpulent.

– Au secours ! À l'aide ! *Maiday, maiday !* gémit notre poursuivant en se débattant pour échapper à ma prise diabolique. À moi ! À moi !

Son chapeau avait sauté dans la bagarre, ses lunettes aussi. Mais cette voix… Où l'avais-je déjà entendue ?

À cet instant, le wagon sortit du tunnel. En découvrant au grand jour sur qui nous venions de tomber à bras raccourcis, Mathilde et moi ne pûmes retenir un grand un cri.

L'espion bulgare, l'homme à l'imperméable, l'inconnu du train fantôme n'était autre que P. P. Cul-Vert, sa grosse bouille éblouie cherchant de l'air comme un poisson hors de l'eau.

② Mon ami
P. P. Cul-Vert

– P.P., dis-je, j'exige des explications.

Mathilde, Pierre-Paul et moi étions attablés devant des chocolats fumants. Rien de tel pour se remettre de ses émotions. J'avais un grand creux dans l'estomac, la tête encore pleine de loopings et de cris d'effroi.

– *Nous* exigeons des explications, fit Mathilde en écho.

P.P. avait ôté son déguisement ridicule et commandé une portion de brie qu'il trempait dans son chocolat comme une énorme mouillette.

– Un petit remontant de ma composition, bredouillat-il devant notre air effaré. Je vous recommande aussi le roquefort au coulis de framboises.

Pierre-Paul Louis de Culbert, alias P.P. Cul-Vert, est le plus immonde gourmand de la galaxie. La semaine précédente, il avait réussi à convaincre le cuisinier du collège d'expérimenter une nouvelle recette : la brandade de morue fourrée aux raisins secs. Tout l'internat s'était retrouvé d'un seul coup à l'infirmerie, sauf lui, ce qui l'avait sauvé d'un lynchage en règle. Même le principal avait fini au lit, et sans sa moyenne qui frôle la perfection, P. P. aurait passé un sale quart d'heure.

Avec ses deux ans d'avance, son petit corps grassouillet et ses épaisses lunettes qui lui donnent l'air d'un batracien, P. P. Cul-Vert est le génie incontesté de notre collège. C'est aussi mon meilleur ami, allez savoir pourquoi. J'ai envie de l'étrangler au moins douze fois par jour, il est tellement gonflé de prétention qu'il pourrait s'envoler comme un ballon de baudruche, mais je suis certain d'une chose : qu'on s'avise de toucher à un seul cheveu de sa grosse tête et on aura affaire à moi, foi de Rémi Pharamon !

Cette fois, pourtant, il avait dépassé la mesure. Ce déguisement grotesque, d'abord, sa manière de nous filer, Mathilde et moi... Si P. P. n'avait pas pris les filles pour des créatures inférieures, tout juste bonnes à célébrer sa gloire, j'aurais pu jurer qu'il était jaloux qu'elle soit ma meilleure copine.

– Moi, jaloux ? Tu n'y songes pas, mon brave Pharamon, se récria-t-il. Mon temps est trop précieux pour le sacrifier à des sentiments si mesquins.

LE CLUB DES INVENTEURS

– Ta Hauteur voudrait-elle bien consentir à nous dire pourquoi elle nous suivait? s'emporta Mathilde.

– Je ne vous suivais pas, corrigea P.P. J'expérimentais de nouvelles méthodes de filature, nuance.

– Déguisé en espion bulgare? Excuse-moi, Pierre-Paul, mais seul un aveugle aurait pu ne pas te repérer.

– C'était un test, fit P.P., un peu vexé. Et permets-moi de te dire qu'il a été parfaitement réussi.

– Je n'en doute pas! Tu as été la risée de toute la fête foraine.

– Mes amis, mes amis, fit-il avec un petit geste apaisant. Vous me connaissez. Vous savez quelle intelligence prodigieuse abrite ce petit corps que vous avez si imprudemment malmené tout à l'heure. Au nom des aventures que nous avons déjà vécues ensemble, je vous supplie de m'écouter et de me faire confiance.

– Accouche, P.P., dis-je. Ton petit numéro nous fatigue.

– Une seule question, d'abord, et je vous raconte tout. Êtes-vous libres le week-end prochain?

Mathilde et moi nous regardâmes, un peu surpris par cette entrée en matière, avant d'opiner mollement. Ma mère serait ravie de se débarrasser de moi pour deux jours. Quant à Mathilde, elle n'avait pas son pareil pour extorquer à ses parents les permissions les plus extraordinaires.

– Parfait, jubila P. P. Je vous engage, alors.

– Répète ? dis-je, interloqué. Tu nous *engages* ?

P. P. se rengorgea.

– À mon service, exactement. Je ne peux entrer dans des détails qui risqueraient de mettre vos médiocres existences en danger. Moins vous en saurez, croyez-moi, mieux ce sera. Apprenez seulement, mes bons amis, que vous venez de passer avec succès le test. À partir de maintenant, vous êtes tous les deux mes gardes du corps attitrés, spécialement chargés de la protection de ma précieuse personne.

– P. P., dis-je avec inquiétude, tu devrais arrêter le brie. J'ai peur que ça ne te réussisse pas du tout.

P. P. écarta ma remarque d'un geste.

– Je comprends que mon petit manège de tout à l'heure ait pu vous surprendre. Ce déguisement parfait et ma filature n'avaient qu'un but : tester votre sens de l'observation et votre capacité à déjouer les pièges les plus retors. Vous avez réussi au-delà de mes espérances, mais sachez que l'ennemi qui nous guette aura recours à des coups autrement plus tordus pour parvenir à ses fins. Il faudra ouvrir l'œil, et le bon !

– Je vais t'en pocher un, d'œil, moi, si tu continues

à nous prendre pour des imbéciles, fis-je en me frottant le poing.

– Attends, dit Mathilde. Laisse-le s'expliquer. Il
sera toujours temps de le boxer après.

Les mystères dont P. P. s'entourait avaient excité
sa curiosité. Quant à moi, la perspective d'échapper
à ma mère pour un week-end n'était pas pour me
déplaire. Devinant notre impatience, P. P. prit le
temps de se lécher les doigts un à un avant de poursuivre, une petite lueur triomphale dans les yeux :

– Figurez-vous, chers et fidèles compagnons,
qu'aura lieu dimanche l'un des événements mar-
quants de notre siècle : le cinquantième anniversaire du club des Inventeurs !

– Jamais entendu parler, fis-je.

– Ton ignorance me laissera toujours coi, mon pauvre Pharamon. Sache qu'il s'agit du plus fermé et du plus sélect des clubs, qui rassemble une fois l'an les inventeurs de toute la planète. Du moins, les meilleurs d'entre eux : pour y entrer, il faut s'enorgueillir d'une découverte majeure pour l'histoire de l'humanité.

– Je ne vois pas en quoi ça te concerne, fit remarquer Mathilde. À part ta recette de morue aux raisins secs...

– Pardon de te contredire, coupa P. P. au comble de l'excitation, mais le comité directeur du club, dans sa munificence, a bien voulu accepter que je lui soumette dimanche le fruit encore top secret de mes travaux. Une invention de premier plan, qui devrait me hausser au rang d'Einstein et de Léonard de Vinci ! Certes, je n'en suis encore qu'au stade du prototype expérimental, mais sa présentation devrait être le clou de cet anniversaire !

J'ai beau bien connaître P. P., son imagination délirante, sa vantardise éléphantesque, cette fois il poussait le bouchon un peu loin. P. P. Cul-Vert, membre du club des Inventeurs ? C'était vraiment trop drôle !

– Je comprends votre incrédulité, continua-t-il. Sachez seulement que mon invention a reçu l'appui d'un homme dont vous vénérez le savoir. Mais pour d'évidentes raisons de sécurité, je ne puis vous dévoiler en quoi elle consiste, ni qui est mon généreux protecteur.

– Et nous? interrogea Mathilde, toujours pratique. À quoi servirons-nous?

– À empêcher qu'une puissance étrangère ou un rival jaloux s'en empare, pardi. Vous vous chargerez de ma sécurité et de celle du prototype jusqu'à dimanche. L'ennemi sera prêt à tout, je vous préviens!

– Résumons-nous, dis-je, au bord de l'exaspération. Tu voudrais que nous affrontions des tueurs à gages armés jusqu'aux dents dans le seul but de permettre à ta bouffissure de plastronner au club des Inventeurs?

– Euh… en quelque sorte, oui. Je comprends que cet honneur te terrasse, mon bon Rémi, mais je t'en crois digne. Et puis, ajouta-t-il avec un fin sourire, quand tu découvriras qui est mon respectable parrain dans cette aventure, tu te féliciteras d'avoir accepté, sois-en sûr. Parole de Pierre-Paul Louis de Culbert!

Ce qui, venant du plus fieffé menteur que la terre ait jamais porté, valait son pesant de cacahuètes…

Je me tournai vers Mathilde, cherchant un soutien. Mais ses yeux brillaient d'excitation et je compris qu'elle avait déjà accepté.

– Tope là, dis-je à P. P. en poussant un soupir rési-
gné. Cette histoire ne me dit rien qui vaille, mais tu
peux compter sur moi.

– Sur *nous* ! précisa Mathilde en joignant sa main
aux nôtres au-dessus de la table.

– Merci, mes bons amis, merci ! fit P. P. avec émotion. D'ailleurs, je n'en doutais pas. La preuve : je
n'ai rien pour payer mon chocolat…

③
Week-end
aux Corneilles

Dans les films d'action, les gardes du corps sont toujours des types baraqués, spécialistes du jiu-jitsu et du tir rapproché. On les reconnaît à leurs lunettes noires et à l'oreillette qui leur pend sur le cou.

Quand je rejoignis Mathilde, le samedi suivant, j'avais juste mes écouteurs, mon canif suisse et deux paires de chaussettes glissées sous mon blouson pour me rembourrer les épaules. La vieille Mobylette de mon oncle Firmin ne faisait pas tellement services secrets, mais c'était tout ce que j'avais trouvé pour répondre au rendez-vous que nous avait donné P.P.

– Tu essayes une nouvelle passoire à pâtes ou c'est un casque de moto ? ricana Mathilde en me voyant arriver.

– Attention, dis-je. J'ai les nerfs en pelote.

– Le frisson du danger, hein ?

— Plaisante, plaisante! Et si P.P. avait raison, après tout? Imagine qu'on se retrouve face à une bande d'étrangleurs hindous avides de lui voler son invention.

Elle haussa les épaules avant de grimper sur mon porte-bagages.

— Tu connais Pierre-Paul, dit-elle tandis que je mettais les gaz.

C'était bien ça qui m'inquiétait. Comment savoir avec P.P.? Il avait disparu de l'internat dès le jeudi soir, sous prétexte de mettre la dernière main à son prototype, gardé en grand secret à la campagne jusqu'au jour J. L'adresse où nous devions le rejoindre était à une cinquantaine de kilomètres, la Mobylette trop chargée avait des hoquets et il nous fallut nous arrêter plusieurs fois pour demander notre chemin.

— Il ne se passera rien, pronostiqua Mathilde en me criant dans les oreilles. Juste un confortable petit week-end de repos à la campagne. Les Corneilles, ça sonne bien, non, pour un havre douillet?

C'était l'adresse que nous avait donnée P.P.

En fait de havre douillet, les Corneilles étaient une sorte de donjon en ruine, perché au-dessus d'une falaise, auquel on accédait par un sentier de terre en lacet.

— Un confortable petit week-end, hein? ironisai-je en découvrant le bâtiment.

Je n'eus pas le temps d'en dire plus : une grosse Jeep couverte de boue surgit soudain en face de nous, lancée à toute allure et tirant derrière elle une espèce de caravane brimbalante.

– Il va nous tuer ! hurla Mathilde.

Le sentier était étroit, la Jeep aussi large qu'un tank. Dans un ultime réflexe, je basculai la Mobylette dans le fossé tandis que la Jeep folle passait en nous frôlant, nous couvrant de poussière et d'une pluie de cailloux. Une seconde de plus et nous étions aplatis comme des crêpes...

– Écrabouilleur ! Assassin ! m'égosillai-je en me relevant péniblement.

Mais la Jeep était déjà loin. Par chance, Mathilde n'avait rien, à part quelques contusions. La fourche de la Mobylette était tordue et, quand j'essayai de la remettre en marche, le moteur refusa de partir.

– Qu'est-ce que c'était que ce malade ? fit Mathilde, la voix blanche.

– Aucune idée, mais il faudra finir à pied. Pour un week-end de repos, ça commence plutôt mal, si tu veux mon avis.

Heureusement, l'entrée de la propriété n'était plus très loin. Poussant la Mobylette désormais inutilisable, nous parvînmes à un parc qui semblait à l'abandon.

Un portail rouillé en barrait l'accès, fermé par de

grosses chaînes. «Les Corneilles, propriété privée, défense d'entrer», disait un panneau fixé de guingois sur la grille. Le donjon en ruine semblait mieux protégé qu'une forteresse.

– Très accueillant! remarquai-je. Qu'est-ce qu'on fait maintenant?

– On escalade, dit Mathilde.

Elle joignait le geste à la parole quand une voix métallique surgie de nulle part nous cloua sur place :

– Vous pénétrez dans un espace de haute sécurité. Déclinez votre identité ou passez votre chemin. Ce portail est électrifié à douze millions de volts. Danger. Je répète : danger!

– On dirait la voix de P.P., dis-je.

Mathilde sauta à terre prudemment.

– Pierre-Paul ou pas, je n'ai aucune envie de finir en saucisse grillée.

– Accès interdit à toute personne non accréditée. Veuillez décliner votre identité, reprit la voix.

Cette fois, plus de doute, c'était bien l'ignoble voix de fausset de P.P., diffusée par le boîtier d'un parlophone à demi dissimulé dans les feuillages.

– C'est nous, lançai-je en collant la bouche sur l'appareil. Ouvre !

– Qui est *nous* ? Je répète : déclinez votre identité.

– Le pape et sa grand-mère ! hurlai-je. Qui veux-tu que ce soit ? Si tu n'ouvres pas tout de suite ce fichu portail, je vais faire un malheur !

Le parlophone gargouilla.

– D'accord, fit enfin la voix. Accès autorisé après identification visuelle.

Une minute plus tard, la silhouette rondouillarde de P.P. dévalait au petit trot l'allée embroussaillée qui descendait du donjon.

– Mes bons amis ! s'exclama-t-il en déverrouillant le portail. Pardonnez ces précautions obligatoires, mais on ne plaisante pas avec la sécurité. Avouez que votre tenue négligée méritait quelques vérifications.

– Notre tenue négligée ? explosa Mathilde. Figure-toi que nous avons failli être écrabouillés par un malade ! Et tout ça pour tes beaux yeux !

Je racontai à P. P. l'épisode de la Jeep tout en marchant vers la maison.

– Tirant une caravane, dis-tu ? répéta-t-il d'un air préoccupé. Inquiétant, en effet. Très inquiétant... J'ai bien fait de demander votre aide, mes bons amis. L'ennemi est à nos portes.

– Bah, dis-je. Il peut s'agir d'un vulgaire promeneur.

– Impossible, ce chemin ne mène qu'à la propriété. Et puis il m'a semblé apercevoir des phares qui rôdaient sur le sentier la nuit dernière... J'ai failli m'en ouvrir à mon hôte, mais j'ai eu peur de lui causer un souci inutile.

– Je ne sais pas qui habite cette charmante bâtisse, mais ce doit être un drôle de type ! remarqua Mathilde en pénétrant dans le hall de la demeure.

– Vous ne croyez pas si bien dire, chère mademoiselle Blondin ! Et vous, jeune Pharamon ! Entrez, entrez ! Bienvenue dans ma retraite des Corneilles !

L'homme qui venait à notre rencontre, bras ouverts, portait une veste d'intérieur, les cheveux coupés en brosse et une rose à la boutonnière.

– Monsieur Coruscant ? balbutia Mathilde en le reconnaissant. Vous ici ?

– En personne, chère mademoiselle Blondin. Ce

facétieux de Culbert a cru spirituel de garder le secret, mais je vous avoue que j'ai bien failli me trahir vendredi, en vous souhaitant un bon week-end.

M. Coruscant n'est autre que notre prof d'histoire-géo. Un type tonitruant et excentrique avec lequel nous avons déjà vécu de nombreuses aventures. Mais le retrouver là, dans ce donjon moyenâgeux décoré de trophées de chasse et de meubles croulants, après l'avoir quitté vendredi au collège, avait quelque chose d'irréel.

Ainsi c'était lui le généreux bienfaiteur de P.P., l'homme qui défendrait son prototype devant le club des Inventeurs ?

– Heureux de voir notre petite équipe à nouveau au complet, fit-il de sa voix de stentor. Venez, que je vous fasse les honneurs de la propriété. Figurez-vous que ce donjon appartenait autrefois à un ensemble plus vaste, construit en 1245 par le sieur Cornélius…

Je passe le long exposé qui suivit. Je suis nul en histoire, et je n'avais aucune envie de me payer un cours supplémentaire, surtout un week-end. Sachez seulement que M. Coruscant, en bon prof de vieilleries, était tombé amoureux de cette ruine, et qu'il consacrait ses congés à la retaper pièce à pièce.

Nous fîmes le tour du donjon, faisant mine de nous émerveiller. Pour ma part, je n'aurais pas donné trois sous pour cette bâtisse branlante autour de laquelle tournoyait en croassant une bande de corneilles. P. P., lui, semblait aux anges, dégustant les propos de son bon maître avec un sourire d'extase, les mains jointes sur son estomac proéminent.

Parvenu devant un vaste hangar qui flanquait le donjon, il s'excusa avant de disparaître à l'intérieur. Il devait encore vérifier quelques détails sur son prototype et nous rejoindrait plus tard. Nous entendîmes une clef tourner dans la serrure, puis un fracas de marteau et de scie électrique se déchaîna au fond du bâtiment.

Sur quel engin diabolique travaillait-il là-dedans? Nous tentâmes d'interroger M. Coruscant tout en revenant avec lui vers le donjon.

– Vous connaissez ce cher jeune de Culbert, expliqua-t-il avec un sourire indulgent. Un esprit de premier ordre, mais une imagination qui l'entraîne parfois loin de la rigueur scientifique! Lorsqu'il m'a soumis les premiers plans de son invention, j'ai cru de mon devoir de pédagogue d'encourager ses tentatives.

– Mais le club des Inventeurs? interrogea Mathilde.

– Il est présidé par Stanislas de Bonnot, un Belge excentrique et richissime. Pour ma part, j'en suis membre grâce à une modeste invention commise dans mes jeunes années : un moteur à base de jus de navet qui n'a pas eu, malheureusement, le retentissement que j'en espérais. À l'occasion du cinquantième anniversaire du club, nous ouvrons un concours d'inventions, et j'ai pensé que notre jeune ami pouvait y présenter sans honte son prototype, ma foi plutôt original, mais qui ne manque pas d'intérêt.

Nous n'en saurions pas plus pour l'instant, c'était clair.

M. Coruscant se proposa de nous conduire à nos chambres pour que nous puissions reprendre figure humaine.

– J'ai, pour ma part, expliqua-t-il, quelques copies à corriger. Si vous le voulez bien, nous nous retrouverons ce soir pour une petite collation.

Les chambres étaient aussi sinistres que le reste du bâtiment : de grandes pièces pleines de courants d'air, avec des tentures poussiéreuses, un lit vermoulu et des parquets qui grinçaient.

À peine débarbouillé, je rejoignis Mathilde dans la sienne.

– Une minute de plus dans cette baraque, dis-je, et je me transforme en hibou empaillé. Je sors prendre l'air.

– Je t'accompagne, dit-elle. N'oublie pas notre mission, Pierre-Paul a engagé notre tandem de choc pour le protéger. Pas question de te laisser agir en solo.

À vrai dire, je n'avais qu'une envie, réparer tranquillement mon vélomoteur en attendant le dîner. Mais vous connaissez les filles, à part les nouilles de la cantine, on ne fait pas plus collant.

– D'accord, dis-je en haussant les épaules. La journée est fichue, de toute façon.

– Au contraire, lança Mathilde en dévalant l'escalier. Les choses palpitantes ne font que commencer! Fie-toi à mon intuition.

– Et elle te dit quoi, ton intuition? Moi je nage en pleine semoule.

– Mon pauvre Rémi! Utilise un peu ta cervelle. Opération n° 1 : il faut en savoir plus sur l'invention de Pierre-Paul. Si M. Coruscant a décidé de la parrainer, c'est qu'elle concerne sa matière, l'histoire.

– J'ai compris, dis-je. P. P. a inventé une machine à remonter le temps. Il compte l'utiliser pour rejoindre ses congénères du paléolithique.

– Très malin.

– Il a décidé de se faire sacrer Pierre-Paul Ier, empereur des fainéants...

– Un seul moyen de le savoir, coupa-t-elle. Fais-moi la courte échelle.

Nous étions parvenus devant le hangar où s'était enfermé P. P. De l'intérieur nous parvenaient un vacarme de coups de marteau et le rugissement d'une ponceuse électrique. Je ne sais à quoi travaillait P. P., mais il s'en donnait apparemment à cœur joie !

La construction n'était ouverte que par un unique vasistas. Mathilde eut beau s'y suspendre, impossible de voir quoi que ce soit. La couche de crasse qui recouvrait la vitre était aussi opaque qu'un rideau.

– Flûte ! dit Mathilde en essayant la porte à coulisse. Verrouillée de l'intérieur. Tant pis. Passons à l'opération n° 2 : comprendre par où a pu entrer la Jeep. Nous trouverons bien quelques indices.

Nous fîmes le tour de la propriété. De hauts murs la protégeaient des visiteurs indiscrets, redoublés par endroits d'un épais rideau de ronces. À l'extrémité est, le parc s'achevait sur une falaise à pic, interdisant tout accès de ce côté. À moins d'un entraînement spécial commando, même un alpiniste chevronné n'aurait pu en escalader la paroi.

À force de chercher, nous trouvâmes cependant un passage : le long d'un petit bois, un pan du mur s'était effondré. Sur la terre encore meuble s'étalaient de larges empreintes de pneus crantés.

– Plus de doute, dis-je. P. P. avait raison. Notre chauffard n'était pas un promeneur égaré. Il a même accroché sa voiture sur les pierres en se frayant un chemin dans la propriété.

– Fouillons le coin, décréta Mathilde.

– Si ça t'amuse de jouer les Sherlock Holmes...

Nous nous mîmes à fureter en tous sens, le nez au sol. Apparemment, le chauffard était descendu de voiture : l'herbe était écrasée comme s'il avait piétiné là un long moment. L'endroit offrait un bon poste d'observation. Était-ce l'explication des lumières qu'avait cru voir P.P. dans la nuit ? Nous trouvâmes aussi un mégot de cigarette d'une marque inconnue, les débris d'un sandwich enveloppés dans du papier journal. C'était maigre, et même Sherlock Holmes n'aurait pu en tirer quoi que ce soit.

– Attends, s'écria Mathilde comme je m'apprêtais à rejeter dans l'herbe le reste du sandwich.

Elle défroissa le papier qui l'enrobait. C'était un article de journal à demi déchiré. On y voyait la photo d'un homme de grande taille qui tenait à la main une coupe en argent.

« Stanislas de Bonnot, le richissime mécène, président du club des Inventeurs », disait la légende.

L'article commençait ainsi :

Les cinquante ans du club des Inventeurs, patronné par le milliardaire belge Stanislas de Bonnot, seront l'occasion ce week-end d'un grand concours. Entre inventeurs et bricoleurs géniaux du monde entier, la lutte sera rude pour décrocher le titre envié de membre de cette illustre société...

Le reste était trop taché de graisse pour être lisible.

– Bingo! lança Mathilde. Le club des Inventeurs! P.P. avait deviné juste, quelqu'un en veut à son invention.

– Mais pourquoi?

– Un rival, peut-être. Quelqu'un qui cherche à l'empêcher de concourir. Un espion à la solde d'une puissance étrangère. Comment savoir? Mais à mon avis, l'inconnu à la Jeep ne s'en tiendra pas là. Il faudra ouvrir l'œil cette nuit.

Le soir était lentement tombé, allongeant au sol des ombres menaçantes. Un frisson me parcourut l'échine.

– Rentrons dîner maintenant, dis-je. J'ai l'estomac dans les talons.

– Mon pauvre Rémi! fit Mathilde en levant les yeux au ciel. L'ennemi guette, et toi tu ne penses qu'à bâfrer!

– Tu es drôle! ripostai-je. J'ai une masse musculaire à entretenir, moi! On ne m'a pas choisi comme garde du corps pour mon intuition.

– Ça, conclut Mathilde avec un ricanement, je ne te le fais pas dire. Tu en as à peu près autant qu'un fer à friser.

Nous revînmes lentement vers les Corneilles en nous chamaillant comme des poux.

En fait de tandem de choc, nous formions une fine équipe… Mais après tout, c'était la faute de P. P. Cul-Vert : engager une fille comme garde du corps, c'était bien là l'idée la plus fumeuse qui ait jamais germé dans son cerveau tordu.

④
Alerte
au ptérodactyle

M. Coruscant est un vrai cordon-bleu.

En fait de collation, il avait préparé l'un de ces dîners que l'on n'ose pas imaginer en rêve : steaks épais et saignants grillés dans la cheminée, pommes de terre sous la cendre et une fabuleuse charlotte aux poires. Le tout servi sur une table éclairée de chandeliers où trônaient des couverts en argent et trois assiettes de porcelaine.

Trois assiettes ? Seulement ?

– Désolé, mon brave Rémi, dit P.P. en devinant ma perplexité. Sur mon planning de surveillance, c'est ton tour de monter la garde.

Il portait son bleu de travail, ses lunettes étaient tachées d'huile et une rangée de tournevis dépassait de sa poche. Il en tira un chiffon et se moucha bruyamment avant d'ajouter :

– Mais rassure-toi, aussitôt après le dîner, je t'apporterai un sandwich sardine-crème de marron dont tu me diras des nouvelles.

– Pourquoi moi ? m'étranglai-je, les narines chatouillées par l'odeur de viande grillée.

– Simple affaire de galanterie, mon bon. Tu ne voudrais tout de même pas priver Mathilde de ce festin !

Allez répondre à ce genre d'arguments… La mort dans l'âme, je tournai le dos au banquet, ignorant le petit sourire contrit que Mathilde m'adressait, et je rejoignis mon poste de guet.

P. P. l'avait établi tout en haut du donjon.

Au bout d'un long escalier en colimaçon qui desservait les chambres, on accédait à une plate-forme en plein air, jonchée de nids et de fientes d'oiseaux, mais qui offrait une vue imprenable entre les créneaux à demi effondrés.

Par bonheur, j'avais emporté mon sac de couchage. Le soir tombait, un petit vent frais s'était levé. Je me blottissais contre la muraille, les jumelles à la main, quand un grondement sourd me fit sursauter.

Mais non : ce n'était que mon estomac vide qui gargouillait…

Un jour ou l'autre, il faudrait que je me venge de P. P., pensai-je. La liste des tortures que je lui ferais subir me fit du bien. La nuit était calme, silencieuse. J'avais peine à imaginer qu'il puisse arriver quoi que ce soit. Et si nous avions inventé un danger imaginaire ? Pris un simple chauffard myope pour un as de l'espionnage technologique ?

En contrebas, la campagne était déserte. Pas un chat non plus du côté du hangar dont j'apercevais le toit. Plus à gauche, la vue tombait à pic jusqu'au pied de la falaise, deux cents mètres plus bas au moins. Au souvenir du Grand Huit, je sentis mes orteils se rétracter tout au fond de mes baskets. J'ai beau être le roi de la corde lisse et de l'escalade, j'ai horreur du vide. Des corneilles passaient en piaillant à ras de ma tête, il commençait à faire froid. Je me pelotonnai dans l'anfractuosité de la muraille, maudissant l'amitié et la vie de garde du corps.

Combien de temps dura ma garde ?

Le repas de M. Coruscant devait être fameux car personne ne vint prendre la relève.

À un moment, je crus voir le pinceau de deux gros phares s'allumer dans l'obscurité de la forêt, puis tout s'éteignit à nouveau. Je devais avoir rêvé.

Notre équipée à Mobylette m'avait brisé, je sentais mes membres qui s'engourdissaient, mes paupières devenir lourdes.

Je dus m'endormir. Quand je m'éveillai, une main me secouait doucement.

– C'est moi, Mathilde… Tout va bien ?

– Je meurs de faim dans des souffrances atroces, mais à part ça, tout baigne ! Merci de te rappeler que j'existe encore.

– J'étais persuadée que P. P. était monté te relayer. Il a disparu après le dîner, sans doute dans le hangar. Regarde, on aperçoit une lumière par le vasistas.

La lune s'était levée, baignant le paysage d'une lueur bleutée. Je jetai un coup d'œil à ma montre fluorescente : deux heures trente du matin. Sans m'en apercevoir, j'avais piqué un bon roupillon.

– Rien en vue ? interrogea Mathilde en s'installant à mon côté.

– Euh, non… La nuit est trop claire. Il ne se passera rien.

– Je t'ai apporté quelques restes. Viande froide et part de charlotte, j'espère que ça t'ira.

Chère bonne vieille Mathilde ! J'aurais pu manger des quenelles de dinosaure tellement j'avais faim.

Je me jetais sur la nourriture quand sa main me broya le poignet.

– Regarde ! En bas, près du hangar !

Je me penchai à mon tour et poussai un cri étranglé.

Le long du hangar s'étendait un vaste champ éclairé par la lune. Et là, quelque chose bougeait…

Une ombre gigantesque, surhumaine, une… Comment vous la décrire sans que vous me preniez pour un menteur ? Imaginez une sorte d'animal immense, mi-oiseau mi-chauve-souris, qui tenterait de prendre son vol, battant pesamment des ailes et agitant un bec énorme !

Instantanément, mon sang se glaça dans mes veines. Incapables de bouger, nous vîmes l'horrible créature s'élever du sol, retomber lourdement, rebondir encore, planant sur quelques mètres avant de se reposer, les ailes battant l'air dans un flap-flap terrifiant.

– Un ptéro… un ptéro… un ptérodactyle géant! bégaya Mathilde, retrouvant la première l'usage de la parole.

– Un ptéro-quoi? bredouillai-je.

– Un monstre de la préhistoire, disparu il y a des millions d'années!

C'était à n'en pas croire nos yeux. Un monstre de la préhistoire, ici, aux Corneilles?

– Vite, cria Mathilde en sautant sur ses jambes. M. Coruscant! Il faut qu'il voie ça!

J'avais oublié notre brave prof d'histoire. Lui seul pouvait nous donner la clef de ce prodige.

Comme des dératés, nous dévalâmes l'escalier en colimaçon. Le temps de cogner à sa porte et M. Coruscant surgit, une chandelle à la main, enveloppé dans une grande robe de chambre qui lui tombait jusqu'aux pieds.

– Mes enfants, que se passe-t-il?

Ses cheveux hérissés sur la tête lui donnaient l'air d'un hibou qu'on vient de tirer du sommeil.

Quand je raconterais ça aux copains de la classe, pensai-je… Ce n'est pas tous les jours qu'on voit son prof principal en chaussons et robe de chambre!

Mais déjà Mathilde l'entraînait, bredouillant des explications incompréhensibles :

– Alerte au ptéro… alerte au ptéro…!

– Et P. P.? réalisai-je soudain. Où est-il?

Je filai droit à sa chambre. Elle était vide. Enfin, si l'on peut dire.... Un bric-à-brac invraisemblable s'amoncelait sur le plancher : bouteilles de plongée, vélo-rameur, tuyaux coudés, planches de toute taille, scie électrique, paquets de gâteaux éventrés, plans gribouillés de calculs illisibles... Même Hercule, dans la légende que nous avait racontée M. Coruscant, n'aurait pas pu nettoyer ces écuries d'Augias.

J'eus beau regarder sous le lit, dans les placards et la salle de bains, pas de P.P. Disparu. Envolé. Introuvable.

Du P.P. Cul-Vert tout craché, pensai-je avec irritation... Jamais là quand ça chauffe. Où était-il encore allé se fourrer ? Je l'imaginai un instant dans la cuisine, se gavant de corn flakes au ketchup et autres friandises immondes, prêt à se cacher à la moindre alerte pour ne pas partager... Il serait furieux en apprenant qu'il avait raté l'apparition d'un ptérodactyle géant, mais tant pis, ça lui ferait les pieds.

Me ruant hors de la chambre, je rejoignis Mathilde et M. Coruscant.

Que ceux d'entre vous qui rêvent d'être garde du corps, agent secret ou karatéka y réfléchissent à deux fois. Quand vous lirez ce qui va suivre, je parie que vous aurez envie de vous recycler immédiatement dans des activités moins dangereuses, la collection de timbres par exemple ou la peinture sur soie.

Fermez un instant les yeux et imaginez la scène : au pied d'un donjon en ruine silhouetté par la lune, votre copine Mathilde et un prof d'histoire en robe de chambre, à demi réveillé, qui contemplent quelque chose, comme pétrifiés d'effroi.

Cette chose, c'est un ptérodactyle géant, un oiseau carnivore de la préhistoire qui repose dans un champ, les ailes affaissées, semblable à une grosse baudruche dégonflée.

– Est-ce que vous nous croyez, maintenant ? dit enfin Mathilde.

M. Coruscant avait chaussé ses lunettes dont les verres luisaient dans l'obscurité tels les yeux d'une grosse mouche.

– Par la barbe de saint Georges ! murmura-t-il. Écoutez !

Nous dressâmes l'oreille. M. Coruscant a beau être myope comme une taupe, il entendrait le froissement d'une antisèche qu'on déplie à des kilomètres à la ronde. Malgré les feuillages qui bruissaient, le sang qui me battait aux tempes, je perçus à mon tour un vrombissement lointain.

– Un moteur, dis-je. Il se rapproche.

– 4 × 4, confirma M. Coruscant. Un engin tout

terrain. De Culbert avait raison. Il y a quelqu'un dans la propriété!

Au même instant des phares puissants trouèrent la nuit, balayant la façade du donjon et nous forçant à nous rejeter dans l'ombre.

– La Jeep! hurla Mathilde. Le conducteur fou!

Il n'y avait aucun doute : c'était bien la Jeep qui avait failli nous écraser sur le sentier. Haute sur roues, maculée de boue, elle tirait une remorque de belle taille, semblable à celles qui servent à transporter les chevaux.

Elle manœuvra, emprisonnant dans le faisceau de ses phares la carcasse du ptérodactyle, inoffensif et pitoyable maintenant comme un lapin pris au piège.

Puis la portière s'ouvrit. Une silhouette d'homme vêtu de noir sauta lestement à terre et se dirigea vers le monstre, tirant derrière elle ce qui ressemblait au filin d'un treuil.

– Ne bougez surtout pas, ordonna M. Coruscant. Il ne nous a pas vus. La moindre imprudence nous trahirait.

Bouger? Il en avait de bonnes. Serrés l'un contre l'autre derrière le tronc épais d'un épicéa, Mathilde et moi tremblions comme des feuilles.

– Pince-moi, murmura Mathilde. Dis-moi que ce n'est qu'un cauchemar absurde.

J'avoue que, sans M. Coruscant, j'aurais pris mes jambes à mon cou et battu le record intergalactique du 100 mètres. Le ptérodactyle allait se réveiller, sauter sur l'homme et le transformer en trois coups de bec en pâtée pour chiens. Même s'il avait manqué de nous écraser, je ne voulais pas voir ça.

L'homme n'était plus qu'à deux pas, tirant toujours son filin, lorsque l'aile du monstre se souleva. Je fermai les yeux. Quand je les rouvris, une silhouette rondouillarde émergeait de sous la carcasse du ptérodactyle, clignant des yeux dans la puissante lumière des phares.

– De Culbert! beugla M. Coruscant. De Culbert, prenez garde à vous!

C'était P. P. Cul-Vert! Ce brave P. P., coiffé d'un casque de pilote d'aéroplane, le visage noir de graisse et tenant à la main une clef à mollette.

De l'homme ou de P. P., je ne sais lequel des deux fut le plus surpris. Un instant, ils se firent face, l'un immense et longiligne, l'autre bedonnant et court sur pattes. La grenouille qui veut se faire plus grosse que le bœuf, pensai-je malgré moi.

Deux cents bons mètres nous séparaient de la scène, éclairée comme un ring de boxe par les phares de la Jeep. Impuissants, nous vîmes l'homme faire un pas, P. P. se ramasser en boule.

– À l'aide! cria-t-il. À moi, la garde!

Le choc fut terrible. N'écoutant que son courage, il avait foncé droit sur son assaillant, visant l'estomac. Soixante kilos de matière grise et de morue aux raisins secs lancés comme un boulet ! Je n'aurais pas souhaité ça à mon pire ennemi...

– Tenez bon, de Culbert ! lança M. Coruscant en se débarrassant de sa robe de chambre. Nous arrivons !

Puis, se tournant vers nous :

– Sus à l'ennemi ! ordonna-t-il.

Déjà il s'élançait, coudes au corps, dans une curieuse petite foulée que rendaient plus étrange encore le pyjama rayé et les chaussons qu'il portait. Je partis en sprint, suivi par Mathilde.

Le temps que nous franchissions la haie de broussailles qui nous séparait du champ, P.P. était déjà en mauvaise posture. L'homme l'avait empoigné à bras-le-corps et emportait sa masse gigotante vers la Jeep aussi facilement qu'il aurait manié un oreiller de plume.

Ouvrant la portière, il le jeta à l'intérieur, grimpa à son tour et mit le moteur en marche.

Je tentai de m'agripper à la poignée, mais le démarrage fut trop brutal. J'eus l'impression que l'accélération m'arrachait les doigts. Perdant l'équilibre, je fis un roulé-boulé sur le côté et m'écrasai le nez dans l'herbe.

– Rien de cassé? haleta Mathilde en m'aidant à me relever.

Je secouai la tête. Mon corps ne devait plus être qu'un bleu géant, mais c'était sans importance. J'étais arrivé trop tard.

Moteur hurlant, les feux de la remorque vide tressautant sur les pierres du sentier, la Jeep franchissait le portail. Rassuré par notre présence, P.P. avait dû oublier de le fermer.

Une seconde encore et elle disparaissait parmi les arbres.

On venait d'enlever P.P. Cul-Vert!

– Vite! trépigna Mathilde. Il faut se lancer à leur poursuite.

– Mais comment? dis-je, accablé. Ma Mobylette a rendu l'âme.

– La voiture de M. Coruscant...

– Inutile, fit ce dernier en nous rejoignant. Ce n'est qu'un vieux tacot. Le temps de la mettre en route, le ravisseur sera déjà loin.

– Que faire alors? Pierre-Paul est en danger!

M. Coruscant se frotta le menton.

– Je ne vois qu'une solution...

– Laquelle?

– Le ptérodactyle.

Jusqu'alors le sang-froid de M. Coruscant m'avait étonné. Mais là, c'était trop fort : le pauvre homme venait de disjoncter.

– Le ptérodactyle ? répéta Mathilde, aussi hébétée que moi.

– Ne perdons pas une minute, dit M. Coruscant en nous entraînant vers la carcasse menaçante qui gisait toujours dans le champ. Vous allez comprendre.

J'imagine que de plus malins que moi l'auront deviné. Mais en découvrant ce qu'était le monstre qui nous avait terrifiés, je dus ouvrir des yeux ronds comme des soucoupes car M. Coruscant ne put s'empêcher d'éclater de rire.

– Du bois et de la toile, mon cher Pharamon ! Une inoffensive machine volante mue par des ailes articulées dont le jeune de Culbert a dessiné les plans.

– Vous voulez dire que c'est ça, l'invention de P.P. ? Un ptérodactyle à pédales ? s'écria Mathilde.

– Conçu selon les plus fidèles descriptions des préhistoriens, en effet. Comprenez-vous son importance, maintenant ? Grâce à ce prototype, la science va enfin comprendre comment un animal si lourd pouvait s'élever dans les airs. Tout est reproduit à l'échelle, dans le moindre détail. J'ai moi-même donné quelques conseils à son concepteur.

– Et ça marche ?

– Nous n'allons pas tarder à le savoir, mademoiselle Blondin, dit-il d'un ton résolu.

Il se coiffait du casque de pilote que P.P. avait

perdu dans la bataille quand je réalisai ce qu'il comptait faire.

– Attendez, protestai-je. Pas question de monter dans ce truc-là !

– Il est prévu pour deux passagers mais en supportera bien un troisième, expliqua M. Coruscant en se glissant dans l'étroit habitacle. Par la falaise, en utilisant les vents ascendants, nous avons une chance de les rattraper.

– La falaise ? Les vents ascendants ? répétai-je en déglutissant difficilement.

– Tu veux sauver Pierre-Paul, oui ou non ? s'indigna Mathilde.

C'était le cauchemar du Grand Huit qui se répétait. Sauf que cette fois, nous allions plonger dans le vide dans une machine conçue par le cerveau dément de P. P. Cul-Vert. Mais comment faire autrement ?

Il nous fallut à peine une minute pour pousser le ptérodactyle à pédales jusqu'au bord de la falaise.

La structure de l'engin était très légère malgré sa taille imposante. Deux longues ailes de toile, un habitacle constitué d'une double selle et d'un pédalier de tandem, le tout fixé sur un fuselage de bois évoquait la forme d'un rapace de la préhistoire.

M. Coruscant avait pris les commandes. Tant bien que mal, je me glissai sur la selle arrière, Mathilde cramponnée en croupe.

– Hardi, les enfants! tonitrua M. Coruscant.
Volons au secours du jeune de Culbert!

Nous étions à quelques mètres encore de l'à-pic.
Unissant nos efforts, nous donnâmes un premier
coup de pédale. La machine s'ébranla dans un grincement atroce, commença à rouler, les ailes battant
à l'unisson de plus en plus vite.

Pas assez vite cependant. Le bord du gouffre se
rapprochait, jamais nous ne parviendrions à décol-
ler avant! Le ptérodactyle tressautait, trop lourdement chargé pour prendre son envol.

Fermant les yeux, je m'arquai dans un dernier
effort sur les pédales.

Quand je les rouvris, il n'y avait plus que la nuit en face de nous, un vide immense, vertigineux.

Mathilde poussa un cri, s'agrippant à moi tandis que nous tombions comme une pierre dans l'obscurité.

⑤

Banzaï!

« Trop chargés, pensai-je. Nous sommes trop chargés ! Nous allons nous écraser au sol et faire une vraie omelette ! »

M. Coruscant et moi avions beau pédaler comme des dératés, le battement des ailes n'était pas suffisant pour nous porter. Nous perdions de l'altitude à une vitesse effrayante, fermant les yeux pour ne pas céder à la panique.

Mais c'était sans compter le génie de P.P. Cul-Vert : au moment où je nous croyais finis, l'avant se redressa, les ailes se gonflèrent, stabilisant notre descente. Malgré les essais piteux auxquels nous avions assisté, Mathilde et moi, depuis le donjon, le prototype fonctionnait.

– Nous planons ! Nous planons !

P.P. avait conçu la machine pour son poids considérable. Ses calculs s'avéraient justes, et j'eus la

première pensée émue de ma vie pour les mathématiques.

Nous survolions maintenant une vaste étendue obscure, les ailes couinant à qui mieux mieux, laissant derrière nous la silhouette illuminée du donjon. Mais la forêt était dense, la nuit impénétrable. Comment repérer la Jeep à travers les épaisses frondaisons ?

Maniant le gouvernail d'une main sûre, les oreillettes flottant au vent, M. Coruscant fit effectuer à l'appareil une large boucle.

– Pilote à poste d'observation : j'attends votre rapport.

– Là, sur la droite, à deux heures ! Des lumières ! s'écria Mathilde, accrochée à mon blouson.

La selle que nous partagions était si étroite que je dus me cramponner au guidon pour risquer un œil par-dessus bord. Le vertige me saisit aussitôt : cent cinquante mètres en dessous de nous, deux phares parallèles, gros comme des têtes d'épingles, étaient apparus entre les feuillages.

C'était la Jeep qui emmenait P.P.

– *Banzaï!* hurla M. Coruscant en poussant le gouvernail à fond.

Le ptérodactyle piqua du nez, fonçant sur sa proie dans un grand craquement de voilure.

J'eus l'impression que la peau de mon visage se

plaquait sur mes pommettes. L'appareil descendait en piqué, droit sur les limites de la forêt.

Jamais nous n'allions pouvoir nous redresser, pensai-je, le corps raidi en arrière. La cime des arbres se rapprochait à une vitesse terrifiante, quelques branches fouettaient déjà la base du fuselage.

À la dernière seconde, M. Coruscant inversa les commandes. Le prototype se cabra, manquant de m'arracher de ma selle. Un quart de seconde, il resta suspendu le bec en l'air, puis, reprenant miraculeusement son assiette, sauta par-dessus les derniers sapins.

Juste à temps. La Jeep émergeait à son tour de la forêt, moteur rugissant.

Une longue ligne droite s'ouvrait à travers la prairie. La Jeep s'y engagea, la remorque tanguant dangereusement sur le revêtement inégal de la route. Emportés par notre vitesse, nous parvînmes à sa hauteur, volant en rase-mottes au risque de nous écraser.

– Du nerf, Rémi, du nerf! Ils vont nous distancer! m'encouragea Mathilde, labourant mes jambes de ses talons comme on éperonne un cheval.

– Si tu crois que c'est facile, m'époumonai-je. Je fais ce que je peux!

Mais que peuvent deux malheureuses paires de mollets contre un moteur surpuissant de 4 × 4 ?

Notre ptérodactyle à pédales n'avait aucune chance. Nous perdions inexorablement du terrain et le conducteur de la Jeep dut le sentir car il passa le bras à la portière, agitant la main en un ironique salut d'adieu.

Mal lui en prit. La Jeep fit un écart, manqua de percuter le bas-côté. Au dernier instant, le conducteur redressa sa course. Trop violemment sans doute car la remorque chassa, bascula sur le flanc avant de se coucher dans un affreux craquement d'essieu, stoppant net la Jeep dans son élan.

– Hourra ! Nous les tenons ! tonitrua M. Coruscant, lâchant le gouvernail pour lever les bras en signe de triomphe.

Catastrophe... Livré à lui-même, le ptérodactyle tomba comme une feuille morte.

Il y eut un grand crac, le cri de Mathilde, une pluie soudaine de lattes déchiquetées.

Rebondissant sur le ventre, l'appareil explosa en petits morceaux comme nous touchions le sol, nous projetant dans l'herbe heureusement épaisse qui amortit un peu le choc.

J'avais déjà vu ça au cinéma, des jets qui s'écrasent en tentant d'atterrir sur le pont d'un porte-avions... Mais en direct et sans trucage, à bord d'un prototype préhistorique, je crus que mon cœur allait s'arrêter.

Des débris de fuselage volaient dans tous les sens, M. Coruscant, en pyjama et casque de pilote, passa devant mes yeux au ralenti, avec l'air hébété d'un type qui vient de s'asseoir par inadvertance sur un siège éjectable.

Par chance, je fais du judo. Je partis en roulé-boulé, Mathilde toujours cramponnée à mes épaules. Nous achevâmes notre course sur une taupinière, de la terre plein les yeux, mais sans casse véritable.

– Et M. Coruscant ? balbutia Mathilde, reprenant ses esprits avec peine.

Inutile de nous inquiéter pour lui. Notre prof d'histoire est plus solide qu'une pyramide. Il avait perdu ses chaussons, son front s'ornait d'une bosse mais il se ruait déjà vers la Jeep immobilisée, prêt à en découdre avec le ravisseur de P. P.

Rien à craindre de ce côté-là. À moitié groggy, l'homme descendit de la voiture et s'affala sur le marchepied.

C'était un type de haute taille, aux cheveux argentés retenus en arrière par une queue-de-cheval.

– J'ai perdu, bredouilla-t-il. Je me rends, Aristide.

– Stanislas ? fit M. Coruscant interloqué. Stanislas de Bonnot ?

C'était le président du club des Inventeurs, le Belge milliardaire dont nous avions découvert la photo sur le bout de papier journal.

Ainsi, c'était lui le mystérieux chauffard, le ravisseur de P. P., son rival acharné ? Je n'y comprenais plus rien. Quel intérêt avait Stanislas de Bonnot à saboter son propre concours en s'en prenant à un candidat comme P. P. ?

M. Coruscant s'assit à son côté sur le marchepied.

– Mais pourquoi, Stanislas ?

– Un coup de folie, expliqua piteusement de Bonnot. Je ne sais pas ce qui m'a pris. Toute ma vie, j'ai rêvé de créer, d'inventer, de construire. De figurer au rang des bienfaiteurs de l'humanité, même pour une invention modeste. Le fil à couper le beurre m'aurait suffi, je t'assure… Mais voilà, malgré mon immense fortune, je n'ai jamais rien su fabriquer de mes mains. Toutes mes expériences ont tourné à la catastrophe. Tiens, à dix ans déjà, je faisais sauter l'aile nord du château familial avec la mallette du Petit Chimiste que j'avais reçue à Noël. Imagine ma frustration : présider le club des Inventeurs alors que je n'ai jamais su faire bouillir un œuf ni enfoncer un clou correctement !

M. Coruscant hocha la tête. Stanislas de Bonnot était si pitoyable que, pour un peu, nous l'aurions plaint.

– Et puis il y a eu ce concours d'inventions, pour les cinquante ans du club, reprit-il. J'ai eu envie de prendre ma revanche, de présenter enfin quelque chose après toutes ces années d'échecs... J'ai travaillé nuit et jour, dessiné des plans, cherché dans toutes les directions... Et pour quel résultat ?

Il tira de sa poche ce qui ressemblait à une sorte de gros taille-crayon.

– Voilà, dit-il d'un ton lugubre. Le plus petit modèle d'aspirateur de poche du monde.

– Astucieux, approuva M. Coruscant.

– Tu trouves vraiment ? Le problème, c'est que mon aspirateur miniature fonctionne à l'aide d'une batterie de quarante kilos, ce qui est un peu lourd à glisser dans une poche... Alors, quand tu m'as parlé de l'invention du jeune de Culbert, j'ai compris que je n'avais aucune chance de remporter le prix. Il ne me restait qu'une solution : l'empêcher de concourir en m'emparant de sa machine. Pris sur le fait, j'ai paniqué, mais je te jure que je ne lui aurais fait aucun mal. Je voulais seulement l'écarter le temps du concours.

– Merci bien, les amis ! glapit à cet instant une petite voix geignarde.

C'était P.P., l'œil au beurre noir, les cheveux en bataille, qui sortait à son tour de la Jeep.

– Est-ce que ça va ? s'enquit Mathilde en l'aidant à descendre.

– Mon petit corps douillet ne survivra sans doute pas aux mauvais traitements qu'on lui a infligés, mais qu'importe! Continuez à vous occuper de cet olibrius, fit-il douloureusement. C'est le destin des grands hommes que de mourir seuls, ignorés de tous…

– Je te rappelle quand même que nous venons de te sauver, s'indigna Mathilde.

Mais P.P. ne l'écoutait plus. Il courait dans la prairie, hagard, contemplant ce qu'il restait de l'épave de son invention.

– Le Culberodactyle! gémit-il en ramassant des morceaux épars. L'œuvre d'une vie! Brisé! Ratatiné! En miettes!

Son désespoir faisait peine à voir. C'en était fait de ses ambitions d'entrer au club des Inventeurs.

– Je vous aiderai à le reconstruire, proposa Stanislas de Bonnot, ému lui aussi. Je mettrai mon immense fortune à votre disposition s'il le faut. Je vous dois bien ça, mon garçon.

Au mot de « fortune », les yeux de P.P. parurent s'écarquiller. Stanislas de Bonnot avait fait mouche. La radinerie de P.P. est aussi légendaire que sa prétention. Pivotant sur les talons, il revint au petit trot vers son généreux bienfaiteur.

– Immense fortune, dites-vous?

– Sans limites, fit de Bonnot tristement.

– J'accepte, alors. De tout cœur. Le Culberodactyle restera mon chef-d'œuvre inégalé. Mais si vous

consentez à financer mon nouveau projet, j'oublie-
rai les mésaventures d'aujourd'hui.

Nous nous écriâmes d'une seule voix :

– Un nouveau projet ? Mais lequel ?

P. P. mit l'index sur ses lèvres avec un sourire mystérieux.

– Vous le saurez bien assez tôt.

⑥
Le grand jour

Si vous voulez connaître le dénouement de cette aventure, je vous renvoie au bulletin de l'anniversaire du club des Inventeurs.

La cérémonie eut lieu au siège du club, un bel hôtel particulier plein de fauteuils profonds et de cheminées.

Un peu impressionnés, nous y fûmes admis, Mathilde, P.P. et moi, parmi une foule de savants barbichus qui parlaient toutes les langues et fumaient des cigares.

Puis le jury entra et un grand silence se fit. L'instant était solennel. P.P., assis à mon côté, retenait son souffle, le visage écarlate. Mais que pouvait-il encore espérer sans le ptérodactyle ?

– Il me reste un atout dans la manche, souffla-t-il dans mon oreille. Apprends, mon bon Rémi, qu'un de Culbert ne s'avoue jamais vaincu.

Stanislas de Bonnot, vêtu d'une veste à queue de pie, ouvrit la séance par un rapide discours.

– Messieurs les membres du jury, chers amis et membres du club, commença-t-il. Avant que ne débute le concours d'inventions, il nous faut procéder à l'élection d'un nouveau président pour notre club. Je ne me représenterai pas. D'autres tâches m'attendent désormais. Mais je propose à vos suffrages mon ami le professeur Coruscant, que vous connaissez tous, et dont vous avez pu apprécier depuis tant d'années l'efficacité et le punch.

La proposition fut accueillie par un tonnerre d'acclamations. Nous n'étions pas peu fiers : notre prof principal devenait président du club des Inventeurs ! Il serra chaleureusement la main de Stanislas de Bonnot, et le concours put commencer.

Tour à tour, plans à l'appui, chacun des candidats vint faire la démonstration de son prototype.

Le premier présenta une paire de bretelles conçues spécialement pour le saut à l'élastique. On les attache à la pile d'un pont, et hop ! il n'y a plus qu'à sauter.

Le deuxième concurrent avait fabriqué un dénoyauteur d'olives électrique. Quand il le mit en marche, une grêle de noyaux partit dans tous les sens, bombardant le jury.

Éliminé.

Il y eut aussi un curieux cendrier, destiné aux gens qui voulaient arrêter de fumer : chaque fois qu'on en approchait la main, il se refermait d'un claquement, comme un piège à loup.

Trop dangereux, décréta le jury.

Je ne me souviens pas de toutes les inventions qui furent présentées. Il y en avait trop : les premières chaussettes comestibles, un périscope qu'on glisse par la fenêtre pour regarder la télé des voisins, des rétroviseurs pour lunettes de soleil, un skateboard à propulsion atomique…

Quand ce fut au tour de P. P., il disparut en coulisse et revint quelques instants plus tard avec une marmite fumante et une poignée d'assiettes.

Mathilde laissa échapper un cri d'horreur.

Faute de montrer le Culberodactyle, P. P. s'était rabattu sur une recette inédite, spécialement cuisinée pour l'occasion.

– La fricassée de cervelle à la de Culbert, et son coulis de fruits rouges! annonça-t-il avec grandeur. Une invention destinée à révolutionner la gastronomie française!

Mais aucun membre du jury ne parut apprécier l'échantillon gluant que P. P. offrait à la dégustation. La délibération fut rapide : recalé à l'unanimité.

Vexé, P. P. revint à sa place et bouda tout le reste du concours.

L'heureux gagnant fut un Italien, qui montra le premier modèle de masque à oxygène domestique, créé pour éplucher les oignons sans pleurer. Le jury le félicita, puis M. Coruscant lui remit solennellement son diplôme de nouveau membre du club des Inventeurs.

– Alors, pas trop déçu? demandai-je en rejoignant P. P. près du buffet où il se gavait de petits choux.

– C'était génial, ce concours! s'exclama Mathilde.

– Ridicule, dit P. P. Des amateurs. Le menu fretin de la bricole. Les nains de la haute technologie. Je faisais déjà mieux à la maternelle.

– Allons, de Culbert, restez beau joueur, le consola M. Coruscant. Vous aurez votre chance une prochaine fois. Mais sachez que, par mesure extraordinaire, les plans de votre Culberodactyle figureront désormais dans les archives du club.

– Dans les archives du club? répéta P. P. en se rengorgeant soudainement.

– À une condition, reprit M. Coruscant en toussotant. Que vous renonciez à faire don de votre... euh... fricassée de cervelle aux membres de ce club vénérable. Je crains qu'ils ne survivent pas à tant d'audace... euh... gastronomique.

– J'accepte, dit P. P. Mais vous ratez quelque chose : je m'étais inspiré d'une recette de la préhistoire!

– Je comprends mieux, alors, fit M. Coruscant en hochant lentement la tête.

– Quoi? L'étendue de mon génie?

– Non. Pourquoi les dinosaures ont disparu.

Il cligna de l'œil vers nous et s'éloigna, laissant P. P. s'étrangler avec le petit-four qu'il venait de gober imprudemment.

Quant au projet de P. P. avec le richissime de

Bonnot, nous n'en entendîmes plus parler jusqu'à un certain mercredi, quelques semaines plus tard.

J'avais rendez-vous avec Mathilde, mais pour aller au cinéma cette fois. Plus question de fêtes foraines ni de Grand Huit! J'avais retenu la leçon, et même pour l'épater, on ne m'y reprendrait plus.

Elle arriva, préoccupée, et me dit aussitôt :

– J'ai reçu un étrange courrier.

– C'est drôle, fis-je en tirant une enveloppe de ma poche. Moi aussi.

Il était arrivé le matin par la poste.

C'était un formulaire d'inscription sur papier glacé, en haut duquel trônait un portrait de P. P. Cul-Vert grotesquement coiffé d'une couronne de lauriers.

Mais le plus incroyable était le texte.

Il m'avait fallu le relire plusieurs fois pour en croire mes yeux.

Voici ce qu'il disait :

Rejoins toi aussi le fan-club de Pierre-Paul Louis de Culbert. Bientôt des millions de membres à travers le monde! Pour la modique somme de mille dollars (timbres de collection acceptés), reçois des photos dédicacées de ton héros, ses recettes originales et les reproductions de ses bulletins de notes.

Ce club, placé sous la présidence de Stanislas de Bonnot, organisera chaque année un pèlerinage réservé aux adhérents sur les lieux que l'immense Pierre-Paul a illustrés de son auguste présence.

Les premiers adhérents recevront en cadeau une pièce unique : un fragment du Culberodactyle, invention prodigieuse dont l'incompétence de deux sous-fifres a privé l'humanité.

– L'incompétence de deux sous-fifres, hein ? répéta rêveusement Mathilde en repliant la lettre. Je crois qu'une inscription d'urgence s'impose. Qu'en penses-tu ?

– Dès ce soir, fis-je sur le même ton. Le fan-club de P. P. Cul-Vert va recevoir une visite musclée dont il se souviendra longtemps.

– À propos, dit Mathilde en laissant échapper un sourire, tu sais que je mijote moi aussi ma petite invention ?

– Ah ! bon. Et laquelle ?

– La machine à fesser P. P. Cul-Vert.

Nous éclatâmes tous deux de rire avant de partir bras dessus, bras dessous, vers de nouvelles aventures.

FIN

Table des matières

L'auteur

Jean-Philippe Arrou-Vignod est né à Bordeaux. Il vit successivement à Cherbourg, Toulon et Antibes, avant de se fixer en région parisienne. Après des études à l'École normale supérieure et une agrégation de lettres, il enseigne le français au collège. Passionné de lecture depuis son plus jeune âge, il s'essaie très tôt à l'écriture et publie son premier roman à l'âge de vingt-six ans. Il est depuis l'auteur de nombreux ouvrages, pour la jeunesse comme pour les adultes.

Du même auteur chez Gallimard Jeunesse

Rita et Machin, en collaboration
avec Olivier Tallec

1 - *Rita et Machin*
2 - *Rita et Machin à l'école*
3 - *Le dimanche de Rita et Machin*
4 - *Rita et Machin à la plage*
5 - *Le Noël de Rita et Machin*
6 - *Le pique-nique de Rita et Machin*
7 - *Les courses de Rita et Machin*
8 - *L'invité de Rita et Machin*
9 - *Rita et Machin à la piscine*
10 - *La cachette de Rita et Machin*
11 - *Rita et Machin. La niche*
12 - *Rita et Machin. L'anniversaire*
13 - *Le baby-sitting de Rita et Machin*
14 - *Rita et Machin au zoo*

Hors série Rita et Machin

Rita et Machin à Paris
Les petites BD de Rita et Machin
Joyeux Noël, Rita et Machin
Je joue avec Rita et Machin

L'illustrateur

Serge Bloch vit à Paris. Il a illustré des livres et des quotidiens en France, aux États-Unis et au Japon. Il se résume ainsi : « Je fais du dessin à idées, j'essaie d'être simple et discret pour que ces idées soient rapidement perçues par le lecteur, sans trop d'effets. J'essaie d'y mettre de l'humour. »

Chez Gallimard Jeunesse, il a notamment mis en images la série « Enquête au collège » mais aussi *L'encyclopédie des cancres, des rebelles et autres génies* et *L'encyclopédie des rebelles, insoumis et autres révolutionnaires* (Albums documentaires).

www.sergebloch.net

Retrouve les héros de la série Enquête au collège dans d'autres aventures...

1. Le professeur a disparu

« Monsieur le Principal,
Un petit mot de Venise où nous sommes bien arrivés. Il fait beau, et le carnaval bat son plein. Transmettez notre bonjour à tous les copains de la classe.
Signé : Mathilde, Rémi, Pierre-Paul, les gagnants du concours.
P.S. Un détail, cependant, M. Coruscant, le professeur qui nous accompagnait, a disparu cette nuit dans le train qui nous conduisait à Venise. Mais rassurez-vous : nous sommes sur la piste des ravisseurs. »

2. Enquête au collège

Que se passe-t-il donc au collège ? Qui se promène la nuit dans les couloirs déserts ? Quels secrets abritent les sous-sols où aucun élève n'est jamais allé ? Qui a saccagé la salle de sciences naturelles et assommé M. Cornue, le laborantin ? Le principal cherche des coupables parmi les internes... Une seule solution pour Rémi et P.P. Cul-Vert, aidés de la douce Mathilde : découvrir eux-mêmes la vérité, quitte à affronter souterrains, rôdeur et conseil de discipline.

3. P. P. Cul-Vert détective privé

Un lugubre cottage en Angleterre, une hôtesse inquiétante, une duchesse dévalisée, un singulier spécialiste des poissons orientaux... Il n'en faut pas plus pour transformer un innocent séjour linguistique en une palpitante aventure. Décidément, rien n'est simple pour Rémi, Mathilde et Pierre-Paul... Les voilà plongés en plein mystère au pays d'Agatha Christie ! Heureusement, P. P. Cul-Vert est là. La loupe à la main, il n'a pas son pareil pour résoudre les énigmes (ou pour les embrouiller à plaisir).

7. Sa Majesté P. P. Ier

P.P. Cul-vert absent le jour du conseil de classe ? Rémi et Mathilde sont très inquiets. P.P. a bel et bien disparu, laissant derrière lui les livres les plus barbants du CDI, des paquets de biscuits éventrés et d'autres indices moins identifiables. Leur enquête conduit Rémi et Mathilde sur une île bretonne minuscule, coupée du reste du monde. Que fait P.P. dans cet ancien repaire de pirates ? Dans quel guêpier est-il encore allé se fourrer ?

Le papier de cet ouvrage est composé de fibres naturelles,
renouvelables, recyclables et fabriquées à partir de bois provenant
de forêts gérées durablement.

Maquette : Maryline Gatepaille

Loi n°49-956 du 16 juillet 1949
sur les publications destinées à la jeunesse.
ISBN : 978-2-07-065493-2
Numéro d'édition : 364281
Premier dépôt légal : août 2013
Dépôt légal : octobre 2019

Achevé d'imprimer sur Roto-Page
par l'imprimerie Grafica Veneta S.p.A.
Imprimé en Italie